HISTOIRES D'AMOUR
SECONDE GUERRE
MONDIALE

D1258313

Histoires d'amour

SECONDE GUERRE MONDIALE

Les histoires vraies de 14 couples
qui ont trouvé l'amour dans une période
de chaos et de conflit planétaire

Gill Paul

Introduction par
Andrew Roberts

Sélection
READER'S DIGEST

Pour William Boag Paul, l'oncle que je n'ai jamais rencontré,
et qui était l'un des derniers à quitter Dunkerque; et pour son fils Jim,
qui est l'homme le plus gentil que je connaisse.

© 2014 Ivy Press Limited, pour l'édition originale.
© 2015 Les Publications Modus Vivendi inc., pour l'édition française.

L'édition originale de cet ouvrage est parue en 2014 chez Ivy Press Limited
(210, High Street, Lewes. East Sussex BN7 2NS, R.-U.)
sous le titre *World War II Love Stories*.

Cette édition est publiée par Sélection du Reader's Digest,
marque exploitée sous licence par :

LES PUBLICATIONS MODUS VIVENDI INC.
55, rue Jean-Talon Ouest
Montréal (Québec) H2R 2W8
CANADA

www.groupemodus.com

Éditeur : Marc G. Alain
Éditrice déléguée : Agnès Saint-Laurent
Traduction : Frederick Letia
Lecture-correction : Catherine LeBlanc-Fredette
Graphisme : Hélène Lamoureux

Images de couverture : Getty Images/Keystone; Getty Images/Popperfoto;
Getty Images/Narvikk; Library of Congress, Washington, D.C.

ISBN : 978-2-92438-229-5

Dépôt légal — Bibliothèque et Archives nationales du Québec, 2015
Dépôt légal — Bibliothèque et Archives Canada, 2015

Sélection du Reader's Digest, Reader's Digest et le pégase sont des marques déposées
de The Reader's Digest Association, Inc., New York, New York, États-Unis

Nous reconnaissons l'aide financière du gouvernement
du Canada par l'entremise du Fonds du livre du Canada
pour nos activités d'édition.

Gouvernement du Québec — Programme de crédit d'impôt
pour l'édition de livres — Gestion SODEC

Imprimé en Chine

Table des matières

Introduction

par Andrew Roberts

La menace nazie

Lorsque Adolf Hitler fut nommé chancelier de la République de Weimar (Allemagne) le 30 janvier 1933, rares étaient ceux qui auraient été capables de prédire que cet événement politique déclencherait, six ans plus tard, un deuxième conflit mondial.

En effet, alors que la Première Guerre mondiale – la Grande Guerre – s'était achevée depuis moins de 15 ans, qui aurait pu croire qu'un ancien caporal, ayant connu l'épreuve du feu dans les tranchées, chercherait à provoquer un conflit d'une telle ampleur ? Pourtant le programme du Parti national-socialiste («nazi») d'Adolf Hitler était essentiellement fondé sur l'agression et la revanche, nées du ressentiment éprouvé par les Allemands lors de la signature de l'humiliant traité de Versailles qui mit un terme formel à la Première Guerre mondiale.

En dépit de l'amputation de certains territoires et de l'imposition de lourdes sanctions économiques, l'Allemagne mena, au début des années 1930, un effort massif de réarmement. En trois ans, elle reconstitua sa puissance industrielle et militaire, ce qui permit à Hitler d'imposer une série de défaites diplomatiques mortifiantes aux puissances occidentales – principalement la France, la Grande-Bretagne et les États-Unis.

En mars 1936, Hitler revint sur les clauses territoriales du traité de Versailles en remilitarisant la Rhénanie (violant une nouvelle fois le traité). Puis en mars 1938, il réalisa l'*Anschluss*, soit le rattachement de l'Autriche au Troisième Reich et, en septembre de la même année, il menaça d'envahir les régions germanophones de Tchécoslovaquie (les Sudètes) tout en soutenant deux dirigeants fascistes: Francisco Franco lors de la guerre civile espagnole et Benito Mussolini durant l'invasion de l'Abyssinie (l'Éthiopie actuelle).

Hitler reçoit une ovation enthousiaste au Reichstag après avoir imposé l'Anschluss à l'Autriche, en mars 1938.

En novembre 1933, la politique d'Hitler fut plébiscitée par 95 % des électeurs allemands, qui approuvèrent le retrait de leur pays de la Société des Nations, le précurseur inefficace de l'Organisation des Nations Unies.

La France et la Grande-Bretagne ont en grande partie permis aux nazis d'obtenir ce qu'ils voulaient – ils considéraient que l'Allemagne avait été injustement traitée lors de la signature du traité de Versailles. Elles espéraient donc qu'en apaisant le Troisième Reich, sa colère et son amertume diminueraient. La leçon qu'Hitler tira de ses succès fut radicalement différente. Selon lui, les démocraties occidentales étaient si faibles par nature qu'elles fermeraient les yeux sur ses conquêtes territoriales à venir. En mars 1939, il ordonna l'invasion des régions tchécoslovaques non germanophones – principalement la Bohême et la Moravie – alors même que la presse allemande contrôlée par l'État proférait des menaces plus ou moins voilées à l'endroit de la Pologne.

Le 31 mars 1939, le premier ministre britannique, Neville Chamberlain, s'engagea devant le Parlement à défendre l'indépendance de la Pologne et à intervenir militairement si celle-ci était envahie ou attaquée par l'Allemagne nazie. En réalité, il s'agissait plus d'un bluff, ou d'un geste sans grande signification, que d'une garantie efficace, car le Royaume-Uni ne pouvait pas faire grand-chose sur le plan pratique pour protéger la Pologne si Hitler décidait de passer à l'offensive. Dans un des coups diplomatiques les plus cyniques de l'histoire, le ministre des Affaires étrangères nazi, Joachim von Ribbentrop, se rendit à Moscou le 22 août 1939 pour conclure un pacte de non-agression avec l'Union soviétique. Le lendemain de son arrivée, il signa ce pacte avec son homologue soviétique, Viatcheslav Molotov. Dès lors, la Pologne fut prise en tenaille, car les deux puissances totalitaires, communiste et nazie, s'étaient entendues sur un partage des territoires situés entre elles : Pologne occidentale pour la première, Pologne orientale et pays baltes pour la seconde, ce qui signifiait que le début de la Seconde Guerre mondiale était imminent. Tous les espoirs de paix mondiale seraient bientôt balayés.

Une femme de la région des Sudètes ne peut contenir son émotion alors qu'elle salue la prise de pouvoir des nouveaux dirigeants nazis.

« L'alliance entre l'Italie et l'Allemagne n'est pas seulement une alliance entre deux États ou deux armées... mais entre deux peuples. » Extrait d'un discours prononcé par Mussolini à Rome, le 23 février 1941.

Une Europe prise d'assaut

La Deuxième Guerre mondiale commença à l'aube du vendredi 1ᵉʳ septembre 1939, lorsque deux groupes de l'Armée allemande pénétrèrent profondément en territoire polonais. Soutenue par les bombardiers Junkers Ju87 «Stuka» de la Luftwaffe et pratiquant la tactique du blitzkrieg ou de la «guerre éclair», la Wehrmacht poursuivit son avancée et réussit à encercler et à capturer les forces polonaises en déroute, qui avaient été positionnées trop à l'ouest pour être d'une quelconque utilité défensive.

Ce qui s'ensuivit se résuma à peu de chose. La «drôle de guerre» ou *Sitzkrieg* dura sept mois, période durant laquelle les nazis occupèrent la Pologne et déployèrent leurs forces vers l'ouest et le nord, sans que rien de décisif ne se passe sur le front de l'Ouest. Cependant, la guerre maritime faisait rage des deux côtés.

Ces mois d'attente insupportable prirent fin le 9 avril 1940 lorsqu'Hitler décida de couvrir son flanc nord en envahissant simultanément le Danemark et la Norvège. Pour contrer cette invasion, des corps expéditionnaires français et britanniques furent aussitôt acheminés vers la côte norvégienne et certains détachements alliés parvinrent même à pénétrer dans les terres, mais ils furent vite refoulés et contraints d'évacuer d'urgence. Le 3 mai, les troupes alliées furent rappelées et l'opération fut annulée. Cette humiliation militaire entraîna la chute du gouvernement Chamberlain, après un débat tumultueux à la Chambre des communes, et le 10 mai 1940, Winston Churchill fut nommé premier ministre. Trois jours plus tard, lors de sa première apparition à la Chambre des communes en sa qualité de premier ministre, il exhorta les Britanniques au combat en ne leur promettant rien d'autre que «du sang, de la peine, des larmes et de la sueur». Cette intervention, qui fit date, fut le premier d'une longue série de discours patriotiques prononcés par Churchill durant toute la guerre et destinés à renforcer la résolution des Britanniques.

Le jour même où Churchill fut nommé premier ministre, Hitler déclencha une «guerre éclair» contre la France et les Pays-Bas. Au terme d'une brillante campagne navale, soutenue par les sorties courageuses de la Royal Air Force (RAF) contre la Luftwaffe, pas moins de 224 000 soldats britanniques et 95 000 soldats français furent évacués des plages de Dunkerque et d'autres ports, échappant ainsi à une capture qui paraissait inévitable. Peu de temps après, la France, alors dirigée par le maréchal Pétain, annonça son intention de demander

Est de Londres, septembre 1940. Un groupe d'enfants près de leur maison détruite durant le blitz.

aux Allemands les conditions d'un armistice; et le 22 juin, un traité de paix fut signé.

Hitler, devenu le maître incontesté du continent européen, se mit alors à établir des plans visant à envahir et à soumettre la Grande-Bretagne. Pour ce faire, il devait s'assurer la maîtrise totale de l'espace aérien. Il confia cette responsabilité à Hermann Göring, commandant en chef de la Luftwaffe, qui dut concevoir et mettre en place une campagne aérienne, qu'on appela la «bataille d'Angleterre». De juillet à septembre 1940, la Luftwaffe lutta férocement contre la Royal Air Force pour s'assurer la suprématie aérienne. Pourtant la RAF, qui avait une force aérienne moins puissante, allait réussir à dominer la Luftwaffe dès la fin du mois d'octobre.

Le bombardement intensif de Londres et de nombreuses autres villes britanniques – connu sous le nom de «blitz» – commença le 7 septembre. Le blitz, qui avait pour ambition de saper la volonté de combattre des Britanniques, coûta la vie à près de 60 000 civils. Le blitz signifia l'intrusion de la guerre dans la vie quotidienne des citoyens britanniques ordinaires, et ce, d'une façon bien plus violente que ce qu'avaient réussi à accomplir les dirigeables et les zeppelins de la Première Guerre mondiale.

Le dimanche 29 septembre 1940, alors que les bombes incendiaires pleuvaient sur Londres, Churchill ordonna que la cathédrale Saint-Paul soit sauvée à tout prix pour préserver le moral du pays.

LE CHEF DE GUERRE

Winston Churchill, opposé à la politique de Chamberlain visant à apaiser Hitler, n'était pas le politicien le mieux placé pour briguer un rôle déterminant dans le cabinet de guerre britannique. Cependant, neuf mois après le déclenchement des hostilités, quand il devint évident que son expérience militaire serait utile, il fut nommé Premier Lord de l'Amirauté. Le 8 mai 1940, on commença à débattre de stratégie militaire et, le 10 mai 1940, lorsqu'Hitler envahit la France et les Pays-Bas, Chamberlain fut contraint de démissionner. Churchill prit alors les rênes du pouvoir et réussit à rassembler sa nation par une rhétorique inspirante.

Aux frontières de l'Europe et au-delà

Bien que les avions de la RAF ait répondu en bombardant l'Allemagne et que la Royal Navy ait soumis l'Allemagne à un blocus sévère et tenté de couler bon nombre de sous-marins et de cuirassés, pendant un certain temps après la fin de la bataille d'Angleterre il n'y eut aucun affrontement terrestre majeur entre les Alliés et la Wehrmacht, car les puissances de l'Axe contrôlaient totalement le continent et toute tentative d'invasion ou de débarquement était considérée suicidaire. Mais en Libye, en Égypte, au Soudan, en Éthiopie et le long du littoral nord-africain, l'Armée britannique, placée sous le commandement du général Wavell, remporta d'importantes victoires contre les troupes italiennes du maréchal Graziani, pourtant supérieures en nombre.

Cependant, ces gains militaires furent de courte durée, car, en février 1941, Churchill ordonna à ses troupes de se retirer de ce théâtre d'opérations pour se porter au secours de la Grèce alors que le brillant général Erwin Rommel arrivait à Tripoli pour prendre le commandement du corps expéditionnaire allemand d'Afrique du Nord : l'Afrika Korps. Après avoir soumis la Hongrie et la Roumanie, qui s'étaient rangées docilement dans son camp, l'Allemagne lança le 6 avril 1941 une vaste offensive contre la Yougoslavie, qui fut envahie et conquise en moins de 11 jours. Peu après, les forces britanniques durent être évacuées de la Grèce vers la Crète, au moment même où les troupes aéroportées allemandes, fortes de 22 000 parachutistes placés sous le commandement du général Kurt Student, procédaient à l'invasion audacieuse de la Crète. Après huit jours de combats acharnés, les troupes britanniques furent de nouveau contraintes de battre en retraite.

La guerre se présentait donc fort mal pour les Alliés, mais, en juin 1941, Hitler commit une erreur stratégique désastreuse en déclenchant l'opération *Barbarossa*, soit l'invasion surprise de l'URSS. Il s'ensuivit un affrontement sans merci entre le Führer allemand et le dictateur soviétique, Joseph Staline, qui dura quatre ans et changea le cours de l'histoire.

Entre-temps, la guerre en Afrique du Nord connaissait des fortunes diverses entre Le Caire, en Égypte, et Tobrouk, en Libye. Mais le général Bernard Montgomery vainquit Rommel de manière convaincante lors d'une bataille bien planifiée, qui se déroula à

Dans le désert, les conditions climatiques étaient très rigoureuses, avec des températures très élevées le jour et très froides la nuit, sans oublier les tempêtes de sable qui pouvaient se former à n'importe quel moment. Ici, une bombe allemande explose à proximité d'un camion américain.

Sous des températures glaciales, des soldats russes défendent une usine durant la bataille de Stalingrad. Les officiers allemands, qui commandaient les opérations, voulaient conquérir la ville pour l'offrir en cadeau de Noël à Hitler, mais ils ne purent remporter la victoire.

El Alamein en Libye du 28 octobre au 4 novembre 1942. Le 8 novembre, les forces alliées, dirigées par le général Dwight D. Eisenhower, débarquèrent en Afrique du Nord française et mirent rapidement en déroute les troupes allemandes. Tobrouk, qui était tombée aux mains des nazis en juin, fut reprise par les soldats britanniques cinq mois plus tard.

Parallèlement, à des milliers de kilomètres plus loin, sur le fleuve Volga, la bataille de Stalingrad faisait rage, opposant les armées allemande et soviétique qui combattaient dans des températures glaciales. Là aussi, les troupes allemandes furent finalement vaincues et, après quatre mois de combats acharnés, le 2 février 1943, la 6ᵉ Armée allemande, placée sous le commandement du maréchal Friedrich Paulus, dut capituler. Ce même mois, Hitler dut se rendre à l'évidence. Acceptant les réalités militaires, il décida de redéployer vers l'ouest l'essentiel de ses forces, amorçant ainsi une retraite qui se poursuivit jusqu'à ce que les Russes prennent Berlin en mai 1945. Bien que l'Armée rouge ait perdu des millions d'hommes, sa détermination à débarrasser la mère patrie de l'envahisseur nazi n'a jamais failli. Hitler, qui avait presque conquis Stalingrad, qui était parvenu à 30 kilomètres de Moscou, qui avait soumis Leningrad à un siège de mille jours et qui avait imposé aux populations de terribles souffrances, ne parvint jamais à briser l'extraordinaire force morale du peuple russe.

La guerre dans le Pacifique

Le 7 décembre 1941, le Japon impérial, allié de l'Allemagne, déclencha une attaque-surprise massive contre la flotte de guerre américaine stationnée à la base navale de Pearl Harbor à Hawaï. Mené à l'aide de chasseurs, de bombardiers à haute altitude, de bombardiers en piqué et d'avions lance-torpilles, l'assaut contre Pearl Harbor permit de couler quatre cuirassés, d'en endommager quatre autres, de détruire 188 avions et de tuer 2 403 militaires et marines américains, incitant les États-Unis à entrer officiellement dans la Seconde Guerre mondiale. Le lendemain, le président Roosevelt fit la déclaration suivante à la radio : «Hier, 7 décembre 1941, une date qui restera marquée d'infamie, les États-Unis d'Amérique ont été l'objet d'une attaque soudaine et préméditée de la part des forces aériennes et navales de l'Empire du Japon.» Le Congrès américain déclara la guerre au Japon à la quasi-unanimité et Roosevelt signa la déclaration le jour même. Quatre jours plus tard, le 11 décembre, Hitler prit la décision funeste de déclarer la guerre aux États-Unis, ce qui scella définitivement son destin.

Entre le 22 et le 28 décembre 1941, Winston Churchill visita Washington et Ottawa afin d'établir avec les gouvernements américain et canadien les étapes clés de la campagne militaire, qui ultimement leur permettrait de remporter la victoire. Le président Roosevelt et son chef d'état-major, le général George Marshall, rejetèrent la réponse en apparence la plus évidente – soit des représailles massives contre l'agresseur immédiat, le Japon. Ils décidèrent plutôt de rassembler les forces alliées et de combattre prioritairement l'Allemagne nazie, pour détruire la plus puissante des dictatures de l'Axe, avant de se retourner contre le Japon. Les États-Unis s'engagèrent aussi à ne pas signer de paix séparée avec une quelconque puissance de l'Axe et à aider l'Union soviétique dans toute la mesure du possible, ce qui

Roosevelt signe la déclaration de guerre contre le Japon, le lendemain de l'attaque menée sur la base navale de Pearl Harbor.

Le contre-torpilleur USS Shaw fut gravement endommagé lors de l'assaut nippon sur Pearl Harbour. Il fut réparé et utilisé durant toute la guerre du Pacifique.

se concrétisa par la fourniture de 5 000 avions, de 8 000 tanks, de 51 millions de paires de bottes et d'autres approvisionnements militaires. Churchill bénéficia du soutien irremplaçable du général Sir Alan Brooke, chef de l'état-major impérial, un des penseurs stratégiques les plus brillants de son époque.

Bien que justifié sur les plans politique et stratégique, le choix d'orienter prioritairement la riposte américaine en direction de l'Allemagne présentait l'inconvénient de laisser les mains libres aux forces japonaises durant les premiers mois de l'année 1942, ce qui se traduisit par des avancées majeures de l'Empire nippon en Extrême-Orient – caractérisées par le traitement cruel et injuste imposé aux peuples conquis et aux prisonniers de guerre capturés lors des combats. Le 10 décembre 1941, l'aviation japonaise coula deux navires de guerre britanniques, le cuirassé HMS *Prince of Wales* et le croiseur HMS *Repulse*. Le jour de Noël, Hong Kong capitula et, en janvier 1942, les troupes japonaises envahirent les Indes orientales néerlandaises et la Birmanie, avant de capturer Kuala Lumpur en Malaisie. Le 15 février, la Grande-Bretagne connut sa défaite la plus humiliante depuis la guerre d'Indépendance américaine lorsque la grande base navale de Singapour cessa toute résistance et se rendit à une force japonaise pourtant nettement inférieure en nombre. Les Américains furent aussi contraints de quitter les Philippines.

Cependant, en dépit de ces victoires éclatantes, les troupes nippones s'enlisèrent en Extrême-Orient, où les armées alliées parvinrent à stopper net leur progression, particulièrement la 14e Armée du général Sir William Slim en Birmanie, celle du général Douglas MacArthur aux Philippines et celle de l'amiral Paul Nimitz dans le Pacifique. Les Alliés remportèrent eux aussi des victoires remarquables qui changèrent le cours de l'histoire : les batailles de Kohima et d'Imphal, de Midway (où deux porte-avions japonais furent détruits le même jour), de Monywa et d'Iwo Jima ainsi que la chute de Mandalay, de Kyushu et d'Okinawa. En dépit des nombreux succès sur les champs de bataille, les chefs d'état-major américains estimèrent que l'invasion de l'archipel nippon risquait de coûter la vie à plus de 250 000 militaires alliés. La résistance fanatique, voire suicidaire, que les Japonais opposaient sur chacune des îles de l'archipel – dont celle des pilotes kamikazes qui écrasaient leurs avions sur les navires de guerre américains et alliés – avait convaincu les experts militaires et les historiens que cette prédiction n'était pas exagérée.

Cinq marines hissent le drapeau des États-Unis au sommet du mont Suribachi durant la bataille d'Iwo Jima. Par la suite, trois d'entre eux furent tués au combat.

ENIGMA

Entre les deux guerres, les Allemands développèrent une machine électromécanique faisant appel à des rotors montés sur cylindres pour le chiffrement et le déchiffrement de l'information. Enigma n'ayant pas de clé, ces rotors produisaient un nouvel alphabet de substitution à chaque pression de touche. Pour pouvoir décoder les messages, il fallait donc connaître les paramètres de réglage, comme la position initiale des rotors et leur ordre d'installation. Des mathématiciens de haut niveau, qui travaillaient sur le projet Colossus, le premier calculateur électronique, parvinrent à casser le chiffre Enigma que les Allemands croyaient inviolable. Le déchiffrement des messages d'Enigma fut utile dans les combats contre Rommel en Afrique du Nord et dans la destruction des sous-marins allemands dans l'Atlantique Nord.

La reconquête de l'Europe

Un des facteurs majeurs de la victoire ultime des Alliés est attribuable en partie au travail remarquable des cryptologues britanniques de Bletchley Park qui réussirent, en avril 1940, à percer les codes militaires d'Enigma, une machine électromécanique allemande conçue pour le chiffrement de l'information et réputée inviolable par ses utilisateurs. Le système de décryptage britannique permit aux Alliés d'intercepter un nombre croissant de messages radio du haut commandement allemand (l'OKW), dont le nom de code était Ultra. Cette connaissance des plans ennemis s'avéra fort précieuse sur différents théâtres d'opérations, tout particulièrement lors de la bataille de l'Atlantique en 1943, après que les codes de la marine allemande eurent été percés.

Le 6 juin 1944, le monde entier avait les yeux fixés sur les plages de Normandie où – après deux débarquements aéroportés nocturnes à l'intérieur des terres – 4 000 péniches de débarquement de dix tonnes chacune débarquèrent six divisions d'infanterie, qui avaient pour mission d'établir des têtes de pont (d'ouest en est) sur cinq plages désignées sous les noms de code «Utah», «Omaha», «Gold», «Juno» et «Sword». En tout, l'opération *Overlord*, appelée aussi jour J, impliqua 6 800 navires de toutes sortes, 11 500 avions et 156 000 hommes. «Puisse Dieu m'aider à savoir ce que je fais», déclara le général Eisenhower, commandant en chef des forces alliées, la veille de l'attaque. Étant donné la totale supériorité aérienne des Alliés, la confusion des Allemands, l'apport décisif de brillantes inventions telles que la construction de Pluto (un pipeline sous-marin reliant l'Angleterre et la France) ou l'édification de ports artificiels répondant au nom de code «Mulberry» et le courage des soldats

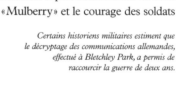

Certains historiens militaires estiment que le décryptage des communications allemandes, effectué à Bletchley Park, a permis de raccourcir la guerre de deux ans.

anglophones – sur les 4 572 soldats alliés tués ce jour-là, 98,4 % venaient des États-Unis, de la Grande-Bretagne, du Canada, de l'Australie et de la Nouvelle-Zélande –, la victoire était quasiment assurée. Montgomery s'adressa ainsi à ses troupes : « Nous avons l'honneur de pouvoir faire une avancée historique sur le chemin de la liberté. Lorsqu'ils connaîtront des jours meilleurs, les hommes parleront avec fierté de ce que nous avons accompli. Car nous servons une grande et juste cause. »

Le 16 décembre 1944, les Allemands menèrent une contre-offensive majeure, dans la forêt des Ardennes, en Belgique. Vingt divisions – dont sept blindées – se lancèrent à l'assaut de la 1re Armée américaine, alors que plus au nord la 6e Armée blindée SS de l'*oberstgruppenführer* SS Sepp Dietrich se dirigeait vers la Meuse et que la 5e Armée blindée SS du général Hasso von Manteuffel avançait vers Bruxelles. Le 20 décembre, constatant que le front américain avait été coupé en deux par l'offensive allemande, Eisenhower confia à Montgomery le commandement de tout le secteur nord. Ses troupes affrontèrent avec succès les forces ennemies lors de la bataille du Saillant, qui prit fin le 26 décembre lorsque les Allemands, à court de carburant, furent contraints de se rendre.

En janvier 1945, après avoir réussi à contenir la contre-offensive des Ardennes, Eisenhower adopta un mouvement en tenaille pour envahir l'Allemagne : les forces britanniques et canadiennes devaient sécuriser la rive occidentale du Rhin à partir du front nord tandis que les forces américaines attaqueraient à partir du front sud. Les combats terrestres furent soutenus par les interventions héroïques du Commandement des bombardiers (« Bomber Command ») et par les raids innombrables menés par l'Armée de l'air américaine sur les villes de Dresde, Hambourg, Cologne et Berlin. Comme le révèlent les journaux personnels de hauts dignitaires nazis, tels que le ministre de la Propagande Joseph Goebbels ou le ministre des Armements Albert Speer, ces raids furent très efficaces; ils permirent de briser le moral des troupes et du peuple allemands et d'anéantir la production industrielle du Troisième Reich. Cependant, le prix à payer fut extrêmement élevé : durant la guerre, plus de 58 000 soldats alliés moururent en effectuant des missions aériennes.

À la mi-mars, les Alliés atteignirent le Rhin sur la quasi-totalité du front et parvinrent à sécuriser les territoires situés à l'ouest du Rhin, alors que les pertes de l'Armée allemande s'élevaient à plus de 60 000 hommes; par ailleurs, 300 000 soldats de la Wehrmacht furent

Une péniche de débarquement américaine à Omaha Beach le jour J (6 juin 1944). De lourdes pertes furent infligées aux forces alliées qui réussirent à établir deux petites têtes de pont en territoire français.

Le camp de concentration de Sachsenhausen, situé à 35 kilomètres de Berlin, servit principalement à incarcérer les prisonniers politiques durant les années de guerre. Ces prisonniers étaient forcés de fabriquer de la fausse monnaie américaine et britannique, afin de déstabiliser les économies de ces deux pays alliés.

faits prisonniers. Le 11 avril, la 9e Armée américaine réussit à franchir le fleuve Elbe à Magdebourg, une ville située à seulement 130 kilomètres de Berlin, où elle opéra la jonction avec l'Armée rouge. Deux semaines plus tard, les troupes soviétiques encerclaient la capitale allemande.

La défaite des puissances de l'Axe

En janvier 1945, l'Armée rouge libéra le camp d'Auschwitz en Pologne, où les SS avaient procédé à l'extermination systématique de deux millions de déportés innocents, dont 90 % de juifs. La terrifiante nature de ce que les nazis qualifiaient de «solution finale» apparut clairement durant les mois suivants alors que les camps de concentration étaient libérés les uns après les autres. Les nazis furent reconnus coupables d'avoir exterminé quelque six millions de juifs ainsi que des centaines de milliers d'autres victimes innocentes des politiques raciales du Troisième Reich, en recourant à la méthode industrielle de l'empoisonnement au Zyklon B dans des chambres à gaz.

Le 30 avril 1945, Hitler se suicida dans son bunker de la chancellerie du Reich, deux jours après que Mussolini eut été fusillé par des Partisans dans le nord de l'Italie. Le 2 mai, Berlin capitula et, le 7 mai, au siège de l'état-major du général Eisenhower à Reims, le général Alfred Jodl et l'amiral Hans-Georg von Friedeburg signèrent l'acte de reddition sans condition des forces armées du Troisième Reich, avec pour témoins des représentants des États-Unis, de la Grande-Bretagne, de la France et de l'Union soviétique. Le 8 mai 1945, soit le lendemain, l'acte de capitulation officielle fut signé et ce jour fut déclaré jour de la Victoire en Europe. Cependant, le conflit avec le Japon impérial était toujours en cours. Les élections législatives, qui se déroulèrent à la fin du mois de juillet en Grande-Bretagne, se soldèrent par une victoire écrasante du Parti travailliste, et son chef, Clement Attlee, remplaça Churchill au poste de premier ministre.

En août 1945, la science avait suffisamment évolué sur le plan technologique pour servir la cause ultime de la paix. En effet, deux projets secrets, baptisés «Tube Alloys» et «Manhattan», donnaient naissance à de nouvelles armes terrifiantes, soit des bombes atomiques utilisant la fission nucléaire pour provoquer des explosions d'une puissance alors inimaginable. Après que l'une d'entre elles eut été lancée, le 6 août, sur la ville japonaise d'Hiroshima, entraînant la mort de 70 000 personnes, le Japon refusa pourtant de capituler. Il fallut attendre qu'une deuxième bombe soit larguée sur la ville de Nagasaki, trois jours plus tard, entraînant la perte de 39 000 vies supplémentaires, pour que le gouvernement japonais cède enfin et accepte de signer l'acte de reddition sans condition. C'est ainsi que prit fin, le 14 août 1945, un conflit mondial ayant coûté la vie à plus de 50 millions de personnes.

Au sortir de la Deuxième Guerre mondiale, la carte de l'Europe connut de profondes transformations, l'Organisation des Nations Unies remplaça une Société des Nations totalement discréditée, la guerre froide s'installa entre l'Ouest capitaliste et le bloc soviétique communiste. Ce fut une période de tensions et de confrontations idéologiques et politiques qui s'acheva avec la chute du mur de Berlin, presque un demi-siècle plus tard. Pourtant, en dépit des souffrances incommensurables, la Deuxième Guerre mondiale était justifiée, car elle permit d'extirper le mal nazi et d'effacer de la surface de la terre la figure satanique d'Adolf Hitler.

LES DERNIERS JOURS D'HITLER

Le 16 janvier 1945, Hitler s'installa dans le bunker de la chancellerie du Reich à Berlin où il prit personnellement le commandement des forces allemandes alors que les armées soviétique et américaine approchaient. Le 22 avril, après l'échec du général Steiner à qui le Führer avait ordonné de libérer Berlin de l'étau de l'Armée rouge, Hitler comprit que la guerre était perdue. Le 29 avril, peu après avoir épousé sa maîtresse Eva Braun, Hitler s'isola avec sa secrétaire pour lui dicter ses testaments politique et personnel. Ayant eu vent de l'information selon laquelle Mussolini aurait été tué par des Partisans, Hitler était déterminé à éviter coûte que coûte de subir le même sort. Le 30 avril, il se suicida en se tirant une balle dans la tête après qu'Eva Braun eut croqué une capsule de cyanure.

Le 7 mai 1945, le général Alfred Jodl signe à Reims l'acte de reddition sans condition des forces armées du Troisième Reich sous les regards du major Wilhelm Oxenius et de l'amiral Hans-Georg von Friedeburg.

Coco Chanel et Hans von Dincklage

CARTE D'IDENTITÉ

HANS GÜNTHER VON DINCKLAGE
NOM

ALLEMANDE
NATIONALITÉ

15 DÉCEMBRE 1896
DATE DE NAISSANCE

ATTACHÉ À L'AMBASSADE D'ALLEMAGNE À PARIS
FONCTION

ABWEHR
AFFECTATION

GABRIELLE «COCO» BONHEUR CHANEL
NOM

FRANÇAISE
NATIONALITÉ

19 AOÛT 1883
DATE DE NAISSANCE

Unterschrift des Paßinhab

Colliers à rangs de perles multiples qui constituent une des caractéristiques du style Chanel.

Des dizaines de milliers de citoyens français, accusés d'avoir collaboré avec les occupants allemands, furent durement punis après la libération, mais Coco Chanel, qui avait vécu à Paris avec un espion allemand durant la guerre, parvint à éviter toute sanction.

Gabrielle «Coco» Chanel fut une des femmes les plus influentes du XXe siècle, grâce à ses robes au design simple et classique qui transformèrent de façon durable la façon dont les femmes s'habillaient. Par contre, sa vie amoureuse fut des plus tumultueuse. L'homme qu'elle considéra comme le grand amour de sa vie, Arthur «Boy» Capel, l'aimait sincèrement, mais ce Britannique aux prétentions aristocratiques ne songea jamais sérieusement à l'épouser. À ses yeux, elle était une roturière impliquée dans des activités commerciales, une fille née hors mariage qui, après la mort prématurée de sa mère, avait passé six ans dans un orphelinat. Elle ne correspondait donc en rien au type de femme que l'on épouse. Coco et Boy devinrent amants en 1910 et leur liaison continua bien après que Boy eut épousé Diana Wyndham, la fille de Lord Ribblesdale, en 1918. L'année suivante, Boy se tuait dans un accident de la route alors qu'il allait la rejoindre dans le sud de la France. Cet événement affecta profondément Coco et elle dut se raccrocher à son travail pour ne pas sombrer corps et âme dans le chagrin.

Coco avec Arthur «Boy» Capel sur la plage de Saint-Jean-de-Luz (France) en 1917. Coco a toujours affirmé qu'il était le grand amour de sa vie.

Quelques années plus tard, en 1924, elle rencontra le duc de Westminster, un des hommes les plus riches du monde, connu dans son milieu sous le nom de «Bendor». C'était un homme extrêmement généreux, qui sans cesse la couvrait de fleurs, de bijoux et de propriétés. Les journaux à potins spéculèrent qu'elle deviendrait un jour la troisième duchesse de Westminster, mais à cette époque, Coco était bien trop indépendante pour assumer le rôle exigeant de maîtresse du domaine familial des Westminster et délaisser ainsi sa maison de haute couture, qui était alors en pleine expansion. Leur relation amoureuse dura une dizaine d'années, et ce, même après qu'il se fut remarié en 1930, puis elle se transforma graduellement en amitié.

Lorsque la France et l'Angleterre déclarèrent la guerre à l'Allemagne, le 3 septembre 1939, Coco vivait dans un appartement de l'hôtel Ritz à Paris, qui présentait l'avantage d'être situé à quelques pas de sa maison de couture, sise rue Cambon. Estimant que ces temps incertains ne se prêtaient guère à la création de robes de soirée prestigieuses, elle décida alors de fermer la maison Chanel pendant toute la durée de la guerre et de licencier son personnel. Le 4 juin 1940, tandis que les troupes allemandes se rapprochaient de Paris, elle demanda à son chauffeur de la conduire dans le sud de la France, loin de la ligne de front. Toutefois, lorsque la France et le gouvernement de Vichy signèrent l'armistice, le 22 juin 1940, elle décida de rentrer à Paris. Lorsqu'elle se présenta au Ritz, elle découvrit que celui-ci était occupé par des officiers allemands. Son appartement avait été réquisitionné, mais le directeur de l'établissement lui offrit aussitôt une autre chambre, ce qu'elle

Le ministre allemand de la Propagande, Joseph Goebbels, sort de l'hôtel Ritz à Paris en juillet 1940. Durant la guerre, de nombreux officiers allemands firent de cet hôtel leur quartier général.

accepta sur-le-champ, ne voyant aucune raison de ne pas s'installer là, en dépit du fait qu'elle devrait résider sous le même toit que de hauts dirigeants nazis, tels que Hermann Göring et Joseph Goebbels.

En septembre 1940, dans le hall de l'hôtel, Chanel remarqua un homme de belle prestance, grand et blond, qui portait des vêtements civils et parlait au ministre des Affaires étrangères allemand, Joachim von Ribbentrop. Plus tard, elle prétendit qu'elle l'avait rencontré des années auparavant dans un événement mondain et qu'ils s'étaient retrouvés par le plus grand des hasards. Elle lui demanda conseil au sujet d'un de ses amis, qui était prisonnier de guerre. Il l'invita alors à dîner et c'est ainsi que débuta sa relation controversée avec le baron von Dincklage, que ses amis surnommaient «Spatz» – «moineau» en allemand.

Coucher avec l'ennemi

Né à Hanovre, Hans von Dincklage était issu d'une mère anglaise et d'un père allemand, baron de Basse-Saxe. C'était un aristocrate qui avait un goût très sûr pour les bons vins, la fine cuisine, les meilleurs cigares, les costumes élégants et jouait au polo. Il parlait couramment le français et l'anglais et se distinguait par ses manières impeccables et son exquise politesse.

Engagé dans l'armée en 1918, Spatz avait travaillé à l'enquête portant sur les meurtres de la révolutionnaire socialiste, Rosa Luxembourg, et de ses camarades, à la suite du soulèvement populaire de janvier 1919. Cet événement attira l'attention de l'amiral Wilhelm Canaris, qui le recruta ensuite au sein de l'*Abwehr*, le service d'espionnage militaire allemand. En mai 1927, Spatz épousa Maximiliane Henriette Ida von Schoenebeck, la fille aînée d'un baron de Düsseldorf; l'année suivante, il fut affecté à l'ambassade d'Allemagne à Paris, où il prit la direction des communications. Son physique attirant, son charme sans pareil et son poste diplomatique lui ouvrirent en grand les portes de la haute société, où il jouissait d'une grande popularité auprès des dames. Il divorça de Maximiliane en 1935 et il avoua plus tard à Coco que, depuis cette séparation, il avait entretenu une relation intime avec une Parisienne très fortunée, qui avait dû fuir avant l'arrivée des nazis, car elle «n'était pas 100 % aryenne».

> *Son charme indiscutable, sa belle prestance et ses relations diplomatiques lui ouvrirent grand les portes de la haute société.*

Coco et von Dincklage à Villars-sur-Ollon (Suisse) en 1951. Elle avait presque 13 ans de plus que lui.

Lorsqu'ils se rencontrèrent, Spatz avait 43 ans et Coco 57; elle a donc dû être fort flattée qu'il accepte de devenir son amant. Ils vivaient repliés sur eux-mêmes, évitant les restaurants parisiens à la mode, et ils passaient leurs vacances dans la villa de Coco à Roquebrune-Cap-Martin sur la côte méditerranéenne, près de la frontière italienne. Aux amis qui lui demandaient pourquoi elle couchait avec un Allemand, elle répondait sans ciller: «Il n'est pas Allemand; sa mère était Anglaise.»

Entre eux, ils communiquaient en anglais. Ils fréquentaient aussi un petit groupe d'amis de Coco: des artistes, des écrivains et des gens de théâtre, s'efforçant ainsi d'oublier les privations et la violence. Il semblerait également que Spatz ait adopté un profil bas, effrayé à l'idée que le haut commandement puisse lui confier une mission dangereuse en Russie ou ailleurs sur la ligne de front. Bref, tous deux haïssaient la guerre et attendaient impatiemment le jour où cette folie prendrait fin. Ce fut cet instinct de survie, conjugué à une forte dose d'arrogance, qui poussa Coco à suggérer à Spatz, à l'été 1943, qu'elle pourrait peut-être jouer le rôle de négociatrice pour parvenir à une paix durable entre l'Angleterre et l'Allemagne. Durant sa liaison avec Bendor, Coco avait fait la connaissance de Winston Churchill et elle avait passé de nombreux étés avec les Churchill, dans le sud de la France. Elle était donc convaincue que, si elle pouvait parler directement au premier ministre britannique, elle pourrait le persuader de mettre un terme au carnage.

Un collègue de Spatz, le capitaine Theodor Momm, l'amena en voyage à Berlin où elle exposa son plan au major Walter Schellenberg, chef par intérim de l'espionnage de l'*Abwehr*. Celui-ci fut aussitôt intéressé. Coco, qui connaissait fort bien l'ambassadeur britannique en Espagne, sir Samuel Hoare, devait solliciter une rencontre avec Churchill à Madrid, où elle se rendrait accompagnée d'une vieille amie, Vera Bate. La mission de paix de Chanel, connue sous le nom de code «Modellhut» («le chapeau du modèle»), prenait forme.

L'Allemagne en déroute

Naturellement, le plan de paix de Chanel fut un fiasco, d'autant que Vera Bate l'accusa de collaboration dès son arrivée à l'ambassade britannique de Madrid. Poliment, on l'informa que Churchill ne pourrait la rencontrer, en raison de problèmes de santé, et elle revint à Paris les mains vides.

Coco se rendit de nouveau à Berlin au début de 1944 pour une ultime réunion d'information avec Schellenberg. Certains biographes affirment qu'elle fut alors recrutée au sein de l'*Abwehr*, devenant ainsi une agente rétribuée de l'occupant nazi. Certains documents de la police française la décrivent comme l'agent numéro F-7124, opérant sous le pseudonyme «Westminster». Cependant, il semble plus vraisemblable qu'elle ait fait preuve d'une incroyable naïveté ou qu'elle ait été suffisamment imbue d'elle-même pour croire qu'elle pourrait réellement œuvrer à la paix mondiale et serait, par le fait même, considérée comme un ambassadeur international et non pas jugée comme une traîtresse à la solde des nazis.

En août 1944, alors que les troupes américaines se rapprochaient de Paris, Spatz insista pour que Coco se joigne à l'Armée allemande, qui battait en retraite, afin qu'ils puissent rebâtir leur vie en Suisse, mais elle refusa de quitter la France. Il la mit en garde, la prévenant qu'elle ferait face à bien des ennuis, car son nom était désormais étroitement

COLLABORATEURS

De nombreux Français collaborèrent avec l'occupant nazi, par peur ou par opportunisme. Dans le domaine des arts, les artistes qui se produisaient devant les forces allemandes étaient qualifiés de «collabos». Lorsque Serge Lifar, le grand ami de Chanel, devint maître de ballet de l'Opéra de Paris, il accueillit tous les hauts dignitaires nazis, Hitler inclus. Édith Piaf chantait souvent devant des auditoires allemands et Sacha Guitry écrivit un livre en hommage au maréchal Pétain (considéré comme le plus grand collaborateur) tout en continuant à écrire et à mettre en scène ses œuvres au cinéma et au théâtre. Après la libération, les comités d'épuration prononcèrent de lourdes sentences contre ceux et celles qui furent reconnus coupables de collaboration, dont la peine de mort dans les cas les plus graves. Sacha Guitry fut emprisonné

Après la guerre, le maréchal Pétain fut reconnu coupable de trahison et condamné à la réclusion à perpétuité.

durant deux mois et Serge Lifar fut suspendu durant deux ans de l'Opéra de Paris. Piaf parvint à s'en sortir lorsqu'elle révéla qu'elle avait étroitement travaillé avec la Résistance pour aider des juifs à s'échapper. Des milliers de femmes qui avaient entretenu des relations sexuelles avec des Allemands – «collaboration horizontale» – furent battues et tondues en public. Chanel eut la chance de ne pas connaître un tel sort.

Une collaboratrice se fait raser après la libération de Marseille.

associé au sien. Elle ne voulut rien entendre, affirmant qu'elle n'avait rien fait dont elle devrait avoir honte. Elle fit de tendres adieux à son amant tout en le suppliant de toujours rester en contact avec elle.

Le 26 août, Chanel était sur le balcon de l'appartement d'un ami, rue de Rivoli, pour voir les Forces françaises de l'intérieur et le général de Gaulle défiler de l'Arc de triomphe à l'hôtel de ville. Des millions de citoyens français célébraient et dansaient dans les rues, les cloches des églises sonnaient. Deux semaines plus tard, Chanel fut arrêtée et placée en garde à vue afin d'être interrogée sur sa relation avec von Dincklage. «Est-ce vrai que vous couchiez avec un Allemand?» lui demanda-t-on. «Franchement, monsieur, répliqua-t-elle, une femme de mon âge n'examine pas le passeport d'un homme si elle a la chance d'en faire son amant.»

Coco fut détenue durant trois heures puis relâchée, pour des raisons encore aujourd'hui nébuleuses. De son vivant, elle a toujours refusé de parler de sa détention, mais des historiens ont récemment émis l'hypothèse que Churchill lui-même aurait ordonné sa libération, car elle détenait des informations potentiellement incriminantes qui ne pouvaient être révélées. En effet, le duc de Windsor – l'ancien roi Édouard VIII jusqu'à son abdication en 1936 – et sa femme américaine, Wallis Simpson, avaient été des sympathisants nazis notoires durant les années 1930, au point que le gouvernement britannique avait dû les exiler aux Bermudes pendant toute la guerre. Churchill avait même accepté que des paiements soient faits aux Allemands afin qu'ils assurent la protection de l'appartement parisien du duc de Windsor et de son château du Cap d'Antibes, ce qui était totalement contraire à l'esprit et à la lettre de la Loi sur le commerce avec l'ennemi. Si de telles informations avaient été rendues publiques, cela aurait été fort embarrassant pour les autorités. Chanel fut relaxée. Un fait est avéré, dès sa libération, elle confia sèchement à sa petite-nièce: «Churchill m'a fait libérer.»

> « *Une femme de mon âge n'examine pas le passeport d'un homme si elle a la chance d'en faire son amant.* »

Walter Schellenberg, responsable du contre-espionnage et des affaires internationales du SD, fut peut-être un des amants de Coco Chanel.

Si de telles révélations avaient été rendues publiques, d'ex-membres de la Résistance auraient pu la prendre pour cible dans les rues, mais elle sut faire preuve d'un véritable génie des relations publiques. Elle annonça qu'elle distribuerait gratuitement des bouteilles de Chanel N° 5 aux GI américains pour qu'ils les offrent à leurs femmes à leur retour chez eux. Cette proposition connut un énorme succès. Avec les Américains dans sa poche, elle pouvait désormais se promener tranquillement dans les rues de Paris.

À la recherche de Spatz

Après la fin des hostilités, l'opinion publique française était très remontée contre Coco Chanel, et ce, même après que le groupe Chanel eut diffusé un communiqué déclarant : « À l'évidence, cette période n'était pas la plus appropriée pour entretenir une relation amoureuse avec un Allemand même si le baron von Dincklage était Anglais par sa mère et même si elle (Chanel) l'avait connu bien avant la déclaration de guerre. » Coco, qui a toujours nié avec véhémence les accusations d'espionnage ou de collaboration avec l'ennemi, décida néanmoins qu'il était plus sage de ne pas faire de vagues et d'adopter un profil bas, du moins durant un certain temps. En conséquence, la maison Chanel ne rouvrit ses portes qu'en 1954.

Avec la défaite de l'Allemagne, les mois passèrent sans apporter la moindre nouvelle de Spatz. Coco se rongeait d'inquiétude à son sujet. Lorsqu'elle rencontra Hans Schillinger, un GI américain d'origine allemande qui était l'ami d'un photographe avec lequel elle avait travaillé, elle lui donna 10 000 dollars avec pour mission de retrouver son amant et de l'aider à regagner son domaine familial, situé dans la région du Schleswig-Holstein. Schillinger promit de lui envoyer une carte postale à l'hôtel Ritz dès qu'il aurait des nouvelles de Spatz.

Coco dut attendre 1946 pour recevoir enfin la carte postale tant attendue. Schillinger l'informait que von Dincklage avait été détenu dans un camp de prisonniers de guerre. Le GI américain avait réussi à obtenir sa libération et son amant s'était rendu à Hambourg. Il n'avait été accusé d'aucun crime lors du procès de Nuremberg, en dépit de certaines rumeurs lui prêtant un rôle d'espion bien plus important que celui que Coco avait pu imaginer. Comme il lui était impossible de faire revenir von Dincklage en France, elle fit le nécessaire pour qu'il puisse s'installer à Lausanne, en Suisse, où ils purent finalement se retrouver. Ses expériences l'avaient marqué ; il avait beaucoup vieilli, mais n'avait rien perdu de sa prestance, de son élégance et de ses bonnes manières. Ils reprirent vite leur liaison et se remirent à fréquenter des célébrités et des membres des familles princières à l'hôtel Beau Rivage, sur les berges du lac de Lausanne, et dans les hôtels chic de Saint-Moritz, Klosters et Davos.

Chanel N° 5, l'éternel classique. Ce parfum mythique avait été baptisé ainsi par Coco Chanel, car le numéro cinq était son numéro chanceux.

LE PROCÈS DE NUREMBERG

Les gouvernements des États-Unis, de la Grande-Bretagne, de l'URSS et de la France voulurent que les dirigeants du Troisième Reich soient traduits en cour de justice et jugés, comme cela avait été le cas lors du procès de Leipzig après la Première Guerre mondiale. Le 20 novembre 1945, le Tribunal militaire international commença ses délibérations au palais de justice de Nuremberg. Dans l'année qui suit, 24 hauts dirigeants nazis furent mis en accusation. Douze d'entre eux furent condamnés à mort, dont Joachim von Ribbentrop, Martin Bormann et Hermann Göring, des proches d'Hitler, ainsi que Hans Frank, l'ancien gouverneur général des Provinces polonaises occupées surnommé le «bourreau de la Pologne». Le procès de Nuremberg fut filmé et diffusé dans les salles de cinéma. De nombreux Allemands découvrirent les atrocités commises dans les camps de concentration. Le procès des dignitaires nazis de moindre importance se poursuivit jusqu'en 1949. Sur les 185 responsables nazis mis en accusation, 120 furent reconnus coupables et 24 furent exécutés.

Coco dut retourner à Paris en 1949 pour témoigner lors du procès du baron Louis de Vaufreland, un agent allemand qui l'avait accompagnée lors de son voyage à Madrid. Elle le défendit avec la plus grande vigueur et déclara même au juge qu'elle pourrait obtenir, en sa faveur, un certificat de références morales de la part de gens haut placés au sein du gouvernement britannique. Vaufreland fut condamné. Quant à Walter Schellenberg, le chef de l'espionnage de l'*Abwehr*, il fut jugé coupable au procès de Nuremberg et condamné à six ans de prison ferme; lorsqu'il mourut en 1952, Coco paya les frais de ses funérailles. Certaines rumeurs ont prétendu qu'ils avaient été amants, mais il n'existe à ce jour aucune preuve.

De nombreuses questions demeurent sur les relations particulières de Chanel avec les nazis durant la guerre. Voici ce que son biographe et ami, Marcel Haedrich, a déclaré à ce sujet: «Si l'on prenait au sérieux certaines informations que mademoiselle Chanel a divulguées sur les années noires de l'occupation, bien des gens grinceraient des dents.»

Le banc des accusés lors du procès de Nuremberg. La ville de Nuremberg, qui était considérée comme le berceau du parti nazi, était le lieu idéal pour la tenue d'un tel procès.

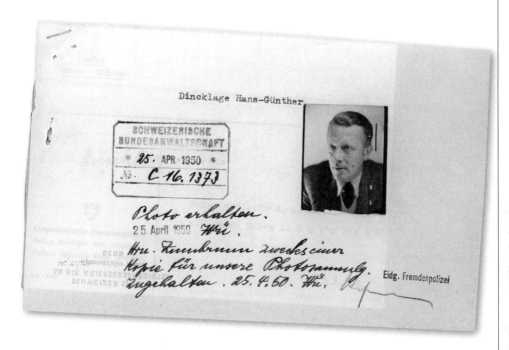

Les papiers d'identité de Hans von Dincklage en avril 1950,
au moment où sa relation avec Coco commençait à s'essouffler.

Sa liaison avec Spatz semble avoir pris fin en 1950, bien que Coco ait continué à le soutenir durant de nombreuses années – du moins jusqu'à ce qu'il rencontre une autre maîtresse fortunée. Elle était alors pleinement consciente que Spatz était un séducteur qui se laissait entretenir par des femmes riches et âgées, ce qui lui permettait de maintenir son style de vie. Qu'importe. Ils avaient su prendre soin l'un de l'autre durant la guerre et ils avaient développé une affection sincère qui transcendait largement la politique. Après Spatz, Coco n'eut jamais plus de liaison amoureuse sérieuse.

La maison Chanel tenta bien de se relancer en France avec de nouvelles collections, mais ce fut un échec, car le nom de Coco était toujours associé à la période trouble de la collaboration. Lancées en 1947, les jupes amples et larges de Dior, emblématiques du new-look, rendirent quelque peu désuètes les vestes et les jupes toutes simples de Chanel. Néanmoins, celle-ci connut un regain de faveur auprès de riches clientes américaines et britanniques, ce qui lui permit de lancer de nouvelles collections, qui connurent un grand succès, avant sa mort, à l'âge de 87 ans. Spatz continua à profiter de la générosité de femmes âgées jusqu'à sa propre mort, trois ans plus tard.

CARTE D'IDENTITÉ

WILLIAM FAITHFULL ANDERSON
NOM

BRITANNIQUE
NATIONALITÉ

17 JUIN 1905
DATE DE NAISSANCE

BRIGADIER
FONCTION

61ᵉ COMPAGNIE DE GUERRE
CHIMIQUE, CORPS DES
INGÉNIEURS ROYAUX
AFFECTATION

KATHLEEN HUNT
NOM

BRITANNIQUE
NATIONALITÉ

19 DÉCEMBRE 1911
DATE DE NAISSANCE

William envoie des nouvelles à sa femme, Kathleen, dans une lettre où il écrit aussi qu'il pense à elle et à Antony, leur fils.

À gauche, un télégramme informant Kathleen que son mari est porté disparu.

William et Kathleen
Anderson

KATHLEEN

My own darling Kathleen, I warned y
correspondence, didn't I?. And I'm sure
I'm told letters now get through via Bilbao
hearing soon. I think of you and Anton
and of wee Raymond. What incredible ag
in Edinburgh do seem, don't they? I do the
happy time we had together. The time pas
a settled routine. Wh
Warringtons; common
were. He is of course
but in spite of what s
will make a sound s
quite sound. I wish I c
It is hard for you to pi
have experts in most Linco
officers give first class

es to pay

d.

RIVED

0

m

POST ☥ OFFICE
TELEGRAM

Prefix. Ti HAND DELIVERY 41 ervice Instructions. Words.
99

99 4:40 LONDON WC OHMS

No.

OFFICE STAMP

FARNHAM 12 JUNE 40 SURREY

To

RS W F ANDERSON CHENISTON FARNHAM=SURREY =

GRET TO INFORM YOU THAT MAJOR W F ANDERSON R E HAS

REPORTED BY HIS UNIT S BELIEVED MISSING FURTHER

CULARS WILL BE FORWARDED AS SOON AS RECEIVED =

UNDER SECRETARY OF STATE FOR WAR +

Le mariage de William et Kathleen, célébré à l'église paroissiale de Farnham, le 16 août 1938. La haie d'honneur est formée de membres de sa compagnie.

À bicyclette durant leur lune de miel, sur l'île de Skye.

Le 1ᵉʳ mai 1940, après avoir pris son petit-déjeuner, William Anderson fit ses adieux à sa femme enceinte, Kathleen, et à son fils Antony, âgé d'un an. Cinq ans s'écoulèrent avant qu'il ne les revoie.

Les mères de William et Kathleen étaient amies bien avant que leurs enfants se rencontrent. Les familles Hunt et Anderson, qui s'étaient toutes deux installées à Farnham dans le Surrey vers 1930, prirent l'habitude de se fréquenter. À la suite de son incorporation dans le Corps des ingénieurs royaux, Will se rendit en Inde en 1929 pour y exercer son métier d'ingénieur, et bâtir des routes et des ponts dans les régions montagneuses de la frontière du nord-ouest. Parmi ses affectations, il resta en Inde au début des années 1930, puis se déplaça en Égypte en 1936 où il intégra les rangs d'un détachement qui avait pour mission de protéger le désert de l'Ouest contre toute tentative d'invasion par les troupes de Mussolini. En 1937, il fut transféré en Palestine puis de nouveau en Inde, où son travail remarquable, qui consistait à construire une route à travers des zones en proie à de violentes tensions tribales, lui valut deux distinctions : la Croix militaire et le grade de Membre de l'Ordre de l'Empire britannique. À la fin de l'année 1937, alors qu'il passait ses vacances à Farnham, il rencontra Kathleen, la fille des amis de ses parents, les Hunt, et quasiment dès le début, il leur apparut clairement qu'ils étaient faits l'un pour l'autre.

La famille Hunt adorait la musique et Kathleen avait suivi une formation de violoncelliste à l'Académie royale, où elle avait joué sous la direction du grand chef d'orchestre, Sir Henry Wood. Lorsqu'ils commencèrent à se fréquenter, ils durent tenir compte des engagements militaires de William. Dès le début de leur relation, Kathleen eut une idée

... dès le début, il leur apparut clairement qu'ils étaient faits l'un pour l'autre.

Photo du baptême de leur fils, Antony, à Farnham le 20 septembre 1939.

assez précise du type de vie nomade auquel elle pouvait s'attendre en épousant un tel homme. Mais c'était une jeune femme déterminée, prête à s'installer avec lui, et ce, quel que soit l'endroit où sa carrière le conduirait. Ils se marièrent en août 1938 dans l'église paroissiale de Farnham et ils passèrent leur première année de mariage à Manchester, en Irlande, à Édimbourg (où naquit leur fils aîné), et enfin à Winterbourne Gunner dans le comté de Wiltshire.

Le 1ᵉʳ mai 1940, lorsque Will fut transféré en France par le Corps des ingénieurs royaux, Kathleen, qui était depuis quelques semaines enceinte de son deuxième enfant, écrivit les mots suivants dans son journal personnel: «Ce jour funeste tant redouté est arrivé. Ce matin à huit heures, après avoir pris ensemble notre petit-déjeuner, Antony et moi avons dit au revoir à Will.» Personne ne savait alors combien de temps la guerre durerait, et Kathleen ne savait même pas s'il reviendrait un jour, mais la foi profonde qui l'animait l'aida à faire face à cette incertitude. Elle revint donc s'installer chez ses parents à Farnham avec Antony, en priant chaque jour que Will lui revienne sain et sauf.

Capturé près de Dunkerque

La compagnie de Will fut envoyée dans une zone située au sud-est d'Arras, près de la frontière belge. Elle y était toujours stationnée le 10 mai, alors que les forces allemandes envahissaient les Pays-Bas et la Belgique. Dans les jours qui suivirent, soit du 16 au 21 mai, tandis qu'une autre division blindée allemande se dirigeait vers le nord, à partir des Ardennes belges, les forces britanniques se rendirent compte qu'elles couraient le grave danger d'être encerclées et anéanties. La décision fut prise de battre en retraite pour rejoindre le port de Dunkerque, où l'évacuation des troupes alliées commença dans la nuit du 26 mai. La division de Will avait pour mission de contrer les assauts de la 7ᵉ Armée allemande. Will ordonna alors à ses hommes de rassembler tous les wagons disponibles dans un site de dépôt de locomotives situé au sud d'Arras, formant ainsi un obstacle antitanks d'une longueur de 1,5 kilomètre et d'une largeur de trois wagons qui s'avéra très utile pour contenir l'avancée allemande. Sa division reçut ensuite l'ordre de défendre une colline, le mont des Cats, située près de la frontière belge, puis de se diriger à pied vers Dunkerque. Malheureusement, un de ses hommes fut blessé, ce qui ralentit leur retraite, et à 15 kilomètres de Dunkerque son unité fut encerclée et contrainte de se rendre.

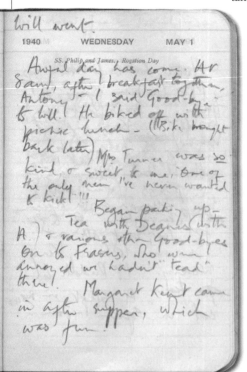

La page du journal personnel de Kathleen en date du 1ᵉʳ mai 1940, le jour où Will quitta l'Angleterre pour rejoindre la France.

En Angleterre, où les nouvelles en provenance de Dunkerque étaient reprises dans tous les bulletins d'informations, Kathleen, qui était rongée d'inquiétude, gardait l'espoir que son mari embarquerait à bord d'un des innombrables bateaux qui sillonnaient la Manche pour secourir les troupes alliées. Mais ce ne fut pas le cas et, durant sept longues semaines, elle ne put savoir s'il était vivant ou mort. Lorsqu'elle reçut enfin un télégramme du ministère de la Guerre l'informant que son mari était détenu comme prisonnier de guerre au château de Laufen en Allemagne, elle ressentit un immense soulagement. Au moins, il ne risquait plus de mourir sur un champ de bataille. Pourtant, plus sa grossesse progressait, plus elle était anxieuse. Ses inquiétudes se confirmèrent en décembre lorsqu'elle apprit que son nouveau-né, un garçon prénommé David, souffrait d'une sténose du pylore, attribuable au stress ressenti durant la grossesse, qui déclenchait chez le bébé des vomissements sévères. Il fallut recourir à une intervention chirurgicale pour éliminer tout blocage dans l'estomac du nouveau-né.

Au printemps 1941, Kathleen fut informée que Will avait participé à une tentative d'évasion avortée du château de Laufen. Considéré par les Allemands comme le principal instigateur de cette

Dunkerque, mai 1940. Des soldats faisant la queue pour embarquer sur un navire.

ÉVACUATION DE DUNKERQUE

C'est au vice-amiral Bertram Ramsay qu'incomba la responsabilité d'organiser l'évacuation de Dunkerque durant la dernière semaine de mai 1940. Les eaux étant peu profondes près du rivage et les navires de guerre ne pouvant s'approcher des plages, la décision fut prise de réquisitionner tout navire capable de traverser la Manche. L'Amirauté britannique se trouva ainsi à disposer d'une flotte de 700 «petits navires», composée de bateaux de pêche, de yachts, de péniches, de traversiers, de chalutiers ainsi que de 220 bâtiments de guerre. En neuf jours, entre le 27 mai et le 4 juin, cette flotte hétéroclite et bigarrée parvint à évacuer 192 226 soldats britanniques et 139 997 soldats français. Comme les plages de Dunkerque étant soumises aux bombardements incessants de la Luftwaffe, 217 bâtiments de toutes sortes furent coulés, dont 161 «petits navires». Cependant, grâce à cette évacuation réussie des troupes évacuées, on put reconstituer rapidement une force combattante efficace.

*Le mal du pays.
Photographie de Will, au
camp de prisonniers du
château de Laufen, fin
1940 ou début 1941.*

*Au château de Laufen,
Will et ses compagnons de
captivité jouent dans un
ballet-pantomime intitulé
McLaddin.*

tentative, il fut transféré à Colditz, une forteresse située en Saxe, que les nazis jugeaient totalement sécurisée et à l'épreuve des évasions. Peu après, par l'intermédiaire de la Croix-Rouge, Kathleen commença à recevoir des lettres de son mari. Voici ce qu'il écrivit dès son arrivée à Colditz : «Je suis arrivé ici un jeudi, après plus d'une journée de voyage. C'est un camp plutôt intéressant! Il y a 200 Français et Belges, 80 Polonais et 37 officiers britanniques. Bref, des gens entreprenants et d'excellente nature.» On n'aurait pu prédire alors à quel point cet esprit d'entreprise se manifesterait.

L'esprit d'entreprise

Kathleen et Will ne formaient pas un couple sentimental; c'étaient des gens actifs et pratiques qui ne se complaisaient pas dans leurs malheurs. À Farnham, Kathleen s'occupait des femmes et des familles des hommes de la division de Will qui avaient été capturés avec lui.

De plus, comme elle disposait du téléphone, elle partageait toutes les informations qu'elle recevait et organisait des réunions avec les épouses pour échanger les nouvelles fraîches. Elle organisa aussi un centre d'emballage des colis de la Croix-Rouge qui étaient envoyés aux prisonniers de guerre – le deuxième centre de ce type créé en Grande-Bretagne. Un strict rationnement avait été imposé, pourtant Kathleen parvenait toujours à épargner le maximum pour pouvoir envoyer du chocolat, du beurre, des cigarettes et des vêtements aux détenus, et elle encourageait les femmes des prisonniers à agir de même. Elle disposait de peu d'argent, car la paye de Will avait été coupée de moitié lorsqu'il avait été capturé, le gouvernement britannique assumant que les frais de nourriture et les besoins élémentaires seraient pris en charge par leurs geôliers, mais elle et les autres femmes de prisonniers entreprirent de collecter des fonds de toutes les manières possibles. Elle tournait aussi des films maison, mettant en scène ses deux fils, afin que leur père puisse les découvrir à des âges différents lorsqu'il serait de retour.

Entre-temps, à Colditz, Will mettait à profit ses talents d'ingénieur. Il devint ainsi le ferblantier du camp et fabriqua de nombreux ustensiles de cuisine, destinés aux prisonniers qui faisaient la cuisine dans un espace bien étroit. Durant un certain temps, il partagea sa cellule avec un as de l'aviation, Douglas Bader, et se rendit sous escorte chez un forgeron du village de Colditz pour l'aider à réparer les jambes artificielles de Bader. Lorsqu'un comité d'évasion fut créé, Will fut chargé de concevoir puis de fabriquer, à partir de rien, les choses les plus invraisemblables. Il construisit une sorte de machine à écrire et utilisa l'écriture gothique, qu'il avait apprise à l'école, pour fabriquer de fausses pièces d'identité destinées aux fugitifs. Lorsque les prisonniers eurent besoin d'un appareil photographique pour prendre des photos, il en fabriqua un à l'aide de vieilles lunettes et

En compagnie de leurs cousins, David (deuxième à gauche) et Antony (à droite) font une démonstration avec leurs masques à gaz. En septembre 1938, environ 38 millions de masques à gaz avaient été distribués en Grande-Bretagne, au cas où des bombes à gaz neurotoxique soient larguées lors des raids aériens.

de quelques morceaux de bois. Et, durant les derniers jours de la guerre, il aida des détenus, qui construisaient un planeur dans le grenier, en confectionnant un faux mur qui les dissimulait des regards allemands ainsi qu'une trappe invisible, qui permettait d'accéder au grenier.

Will apporta son soutien à de nombreuses tentatives d'évasion – le jour J, il était au cachot après avoir été surpris en train de creuser un tunnel sous la chaise du dentiste –, mais lui-même ne tenta jamais de s'évader, car il considérait qu'il s'agissait là d'une «affaire de jeunes hommes». Il avait presque quarante ans alors que ceux qui réussissaient à s'échapper étaient pour l'essentiel de jeunes hommes au début de la vingtaine. Tout en aidant ses compagnons à s'évader, il passait beaucoup de temps à jouer du hautbois dans l'orchestre de la prison et à peindre des aquarelles, représentant le camp et ses environs. Il fut même autorisé à envoyer ses peintures à Kathleen. Ce fut d'ailleurs en découvrant une de celles-ci, où apparaissait une photo accrochée à un mur de sa cellule, que Kathleen comprit avec ravissement qu'il avait reçu la photographie de ses deux fils, qu'elle lui avait envoyée quelques mois avant.

À Farnham, Kathleen organisa des expositions des créations artistiques des prisonniers de guerre et joua dans différents concerts de collecte de fonds. Ses jeunes fils portaient des panneaux sandwich qui annonçaient les événements à venir, tandis que son centre d'emballage de colis destinés aux prisonniers grossissait. Le fait d'être occupée en permanence lui fut très bénéfique – tout autant que l'attente des deux lettres et deux cartes postales que Will avait, chaque mois, l'autorisation de lui envoyer. Celui-ci n'avait droit qu'à 20 lignes par lettre, soumises à une sévère censure. Alors qu'il était emprisonné au château de Laufen, Will conçut un code secret, puis il envoya un indice à sa femme qu'elle mit six mois à comprendre – il lui demandait de lui envoyer des cartes de la Yougoslavie. Elle transmit sa requête au service de renseignements britannique, le MI9, qui accepta de traiter cette demande. En fait, les femmes des prisonniers de guerre préféraient que leurs hommes ne tentent pas de s'évader, car elles voulaient les retrouver vivants.

> *... le jour J, il était au cachot après avoir été surpris en train de creuser un tunnel...*

De gauche à droite, Antony, son cousin Robert et David faisant la promotion de concerts destinés à collecter des fonds à Farnham.

Fin de la guerre en vue

En mars 1944, après que 76 prisonniers eurent réussi à s'évader du camp Stalag Luft III, Hitler était si furieux qu'il donna l'ordre d'exécuter sur-le-champ tous ceux qui tenteraient de s'évader. En juin 1944, après le jour J, les conditions de détention devinrent de plus en plus dures à Colditz. Les rations furent coupées, l'essence vint à manquer et les colis de nourriture disparurent du jour au lendemain. Au début 1945, alors que l'Armée américaine progressait sur le front Ouest et que les Russes avançaient sur le front Est, la situation devint particulièrement tendue. Les prisonniers de guerre redoutaient que les SS allemands décident de faire un ultime baroud d'honneur à Colditz en exécutant tous les détenus, pour les empêcher de nuire. Par ailleurs, ils craignaient aussi que les forces alliées bombardent Colditz, estimant que des troupes allemandes pouvaient s'y terrer.

Dans un tel contexte, les hommes travaillèrent avec acharnement pour achever la construction de leur planeur, fabriquant les ailes de l'avion à l'aide de draps de lit enduits d'amidon de millet bouilli et enroulés autour d'une structure en bois. Les détenus espéraient que deux hommes pourraient s'évader grâce à cet avion et sonner l'alarme.

Cependant, dans les derniers jours de la guerre, le commandant du camp eut la sagesse de livrer l'intérieur du château aux prisonniers et, le 16 avril, la 1re Armée américaine libéra Colditz. Après cinq ans d'absence, Will pouvait enfin rentrer chez lui. Une des dernières choses qu'il fit avant de quitter Colditz fut de remettre un colis de nourriture de la Croix-Rouge aux forgerons du village. «Je n'ai jamais eu le moindre problème avec les Allemands ordinaires, qui étaient dans le même bateau que nous», expliqua-t-il, des années plus tard.

Le jour du retour prévu de Will à Farnham, ses jeunes fils plantèrent des drapeaux britanniques dans le bac à sable à l'entrée de leur maison, mais leur père ne se présenta pas, car il avait été retardé durant son

Lettre de Will de Laufen contenant le message codé suivant : « Je suis prisonnier dans un camp à Laufen, en Bavière. J'espère pouvoir un jour m'évader. Il me faudrait des cartes de la Yougoslavie et de la Hongrie. »

TENTATIVES D'ÉVASION DE COLDITZ

Durant la guerre, plus de 20 tunnels furent creusés sous le château de Colditz. Un des plus longs fut creusé en neuf mois par des prisonniers français à partir de la cave à vin; ce tunnel devait permettre l'évasion de 200 prisonniers en une seule nuit, mais il fut découvert en janvier 1942 alors qu'il ne restait que deux mètres à creuser. Dans une autre tentative, un homme de petite taille parvint à s'évader dans une caisse à thé de la Croix-Rouge alors qu'un autre filait, cousu dans un vieux matelas. Deux lieutenants polonais parvinrent à descendre le long d'un mur de 36 mètres avec une corde faite de draps de lit. Des hommes se déguisèrent en officiers allemands, d'autres en femmes ou en électriciens du camp. Cependant, s'évader ne suffisait pas, car, une fois hors des murs, les fugitifs devaient se rendre dans un pays neutre et la plupart d'entre eux furent repris. On évalue à 30 à 36 le nombre de prisonniers ayant réussi à s'évader de Colditz, puis à rentrer chez eux. Airey Neave, qui fut membre du cabinet fantôme de Margaret Thatcher avant d'être tué par une voiture piégée de l'IRA en 1979, fut un des rares officiers britanniques à réussir un tel exploit.

Château de Colditz, à Colditz, près de Leipzig.

voyage et lors du compte rendu obligatoire, exigé par les autorités militaires. Finalement, Kathleen persuada les garçons d'aller se coucher et, le lendemain matin, lorsqu'ils se réveillèrent, ils découvrirent un homme assis à la table du petit-déjeuner, un homme dont Antony ne se souvenait plus et que David n'avait jamais connu.

Dans une de ses lettres, Will avait promis à ses enfants de leur offrir à son retour des cadeaux comme pour un anniversaire. Fidèle à sa parole, il leur fabriqua des canards en bois qui, leur raconta-t-il, se dandinaient comme son ancien compagnon de cellule, Douglas Bader. Cet été-là, la famille partit en vacances dans l'île de Wight. Will y vécut des jours heureux à piocher sans relâche dans le sable afin de construire des châteaux et des barrages pour ses enfants – exactement le genre de thérapie dont il avait besoin après toutes ces années passées à creuser des tunnels à Colditz !

Kathleen et Will auraient pu se réadapter difficilement à la vie matrimoniale, après avoir été si longtemps séparés, mais ils appartenaient à une génération qui savait bien que le mariage n'était pas un long fleuve tranquille. À la fin de l'année 1945, lorsque Will fut renvoyé en Allemagne pour y traduire des documents utilisés lors des procès pour crimes de guerre, sa famille commença à le suivre. En 1947, ils se trouvaient en Inde lors des émeutes de Delhi à la suite de la partition de l'Inde, qui provoqua l'un des plus grands déplacements de population de l'histoire. Kathleen se porta aussitôt volontaire pour aider des femmes à accoucher dans un camp improvisé où 40 000 réfugiés, qui avaient franchi en catastrophe la nouvelle frontière, vivaient dans des conditions déplorables. La famille Anderson (qui s'était agrandie avec l'arrivée d'un autre garçon, Stuart, et d'une fille,

Margaret) fut ensuite envoyée au Tanganyika (la Tanzanie d'aujourd'hui) en Afrique de l'Est, où Will participa à la construction d'une église, avant d'être transféré en Malaisie en 1953. Durant tous leurs séjours à l'étranger, Will ne cessa jamais de dessiner et de peindre alors que Kathleen jouait de la musique et enseignait le violoncelle.

Leur union matrimoniale débuta d'une bien étrange manière. En effet, ils vécurent peu de temps comme mari et femme avant d'être séparés durant cinq longues années, mais Will et Kathleen étaient deux personnes déterminées et axées sur la famille, qui donnaient le meilleur d'eux-mêmes en toute chose.

Colditz, hiver 1941. Will (à gauche) en compagnie de son ami, le capitaine M. van der Heyvel de l'Armée royale des Indes néerlandaises. On les surnommait « Andy et Vandy ».

Bill et Norma Kay Moore

WILLARD «BILL» MOORE
NOM

AMÉRICAINE
NATIONALITÉ

27 DÉCEMBRE 1923
DATE DE NAISSANCE

SERGENT-CHEF
FONCTION

3 438e CORPS D'INTENDANCE MILITAIRE
AFFECTATION

NORMA KATHERINE «KAY» DEFREESE
NOM

AMÉRICAINE
NATIONALITÉ

2 MARS 1923
DATE DE NAISSANCE

CAPORAL
FONCTION

SERVICE FÉMININ DE L'ARMÉE AMÉRICAINE
AFFECTATION

Bill (en fond de page) voulait être fermier, un rêve qui dut attendre, car en 1943, il fut mobilisé dans l'Armée américaine. Norma (en médaillon) ne recherchait pas l'amour lorsqu'elle s'engagea comme volontaire. Elle espérait voyager et découvrir le monde.

Toutes les filles étaient folles de Bill Moore. Pourtant, lorsqu'il invita Norma à sortir avec lui, alors qu'il avait rendez-vous avec une autre femme, celle-ci refusa tout d'abord. Heureusement, Bill était un homme très convaincant et peu disposé à essuyer un refus.

Bill et Norma étaient tous deux issus de familles nombreuses : il était le dixième d'une famille de 14 enfants, de Tuskegee en Alabama; elle était la neuvième d'une famille de 11, élevée à Hillburn dans l'État de New York par une mère qui se retrouva seule après le décès précoce de leur père. Dès sa sortie de l'école secondaire, Bill travailla comme coiffeur pour payer sa formation de mécanicien et d'agriculteur à l'Institut de Tuskegee. Durant un semestre, il eut comme professeur George Washington Carver, un scientifique renommé qui conçut des méthodes novatrices permettant aux agriculteurs du Sud de faire des récoltes dans des sols épuisés par des décennies de culture du coton. L'agriculture était le métier auquel Bill se destinait, mais, en octobre 1943, il fut appelé sous les drapeaux et affecté à la conduite de camions, en raison de ses connaissances en mécanique.

Le 7 décembre 1941, Norma célébrait l'anniversaire d'un cousin lorsque le programme qui passait à la radio fut interrompu par l'annonce de l'attaque du Japon sur Pearl Harbor. Le jour suivant, Franklin D. Roosevelt signait l'acte officiel de déclaration de guerre. Dans un sursaut de patriotisme, les frères de Norma s'engagèrent dans l'armée et elle décida d'en faire autant. «J'aimais mon pays, confiat-elle à sa famille des années plus tard, j'ai signé pour servir mon pays, pour découvrir le monde et pour envoyer de l'argent à ma mère, qui en avait vraiment besoin.» Après s'être engagée dans le Service féminin de l'Armée américaine, Norma, qui avait reçu une formation en secrétariat et en gestion administrative, fut envoyée à Fort Jackson en Caroline du Sud pour faire des tâches administratives au sein des services médicaux de l'armée. Elle aurait aimé être mutée

« ... j'ai signé pour servir mon pays, pour découvrir le monde... »

Juin 1942. Un régiment composé exclusivement de soldats noirs, le 41ᵉ Corps des ingénieurs, procède à la cérémonie du drapeau.

en Europe, mais, au début, ses supérieurs estimèrent qu'elle était plus utile en Caroline du Sud.

Le dimanche de Pâques 1944, Norma lisait un recueil de poésie, assise sur la pelouse de la caserne, lorsqu'elle rencontra Bill pour la première fois. «Ce jour-là, j'ai croisé la plus jolie fille du monde», déclara-t-il des années plus tard. Bill, qui avait rendez-vous avec une fille qui travaillait dans la caserne de Norma, s'arrêta net et commença à bavarder avec elle, puis il l'invita à sortir avec lui. Norma refusa d'emblée, considérant à juste titre qu'il n'était pas très correct de sa part de courir deux lièvres à la fois. Mais Bill était un homme convaincant qui insista tant pour la revoir qu'elle finit par accepter. «Je ne sais pas pourquoi j'ai agi ainsi, reconnut-elle. Normalement, je l'aurais sérieusement réprimandé.»

Ils se rencontrèrent à quelques reprises et découvrirent vite qu'ils avaient de nombreux points en commun, dont l'amour de la nature et un goût prononcé pour les longues promenades à la campagne. Après leurs balades bucoliques, ils s'installaient souvent dans la buvette de la caserne pour y déguster une crème glacée et parler de leurs vies. «Je n'ai pas intégré l'armée pour rencontrer un homme», se défendait Norma sachant que c'était ce qui motivait la plupart des filles. Mais Norma était si romantique qu'elle fut très vite emportée par ses sentiments.

> « C'est certainement la chose la plus folle que j'ai jamais faite. »

Bill savait qu'il serait bientôt envoyé en Europe; mais il ne pouvait se permettre de laisser cette fille si spéciale lui glisser entre les doigts. Deux semaines après leur rencontre, il lui demanda de l'épouser. Norma, habituellement de nature réservée et assez méfiante, s'entendit répondre «Oui». «C'est certainement la chose la plus folle que j'ai jamais faite», avouait-elle en riant sous cape. Le 12 juin, ils échangèrent leurs vœux dans une chapelle de Caroline du Sud, en la présence de Stanley, le frère de Norma et le seul membre de la famille ayant pu se libérer pour assister à leur mariage. Aussitôt après avoir passé leur lune de miel sur les plages de Caroline, Bill embarqua pour l'Angleterre. Ils se dirent au revoir, tous deux conscients qu'ils ne pouvaient savoir si et quand ils se reverraient.

Au volant du Red Ball Express

Après les débarquements du jour J en Europe, alors que les troupes alliées pénétraient profondément en territoire français, le ravitaillement devint vite un enjeu crucial. En effet, il fallait acheminer d'urgence, par convois de camions militaires, de la nourriture, des munitions, de l'artillerie, des fournitures médicales et de l'essence aux forces alliées en première ligne. Dans les semaines qui précédèrent le jour J, le système ferroviaire français avait été détruit par les bombardements alliés et par les sabotages de la Résistance, afin d'empêcher les Allemands d'atteindre la côte normande. Les trains ne pouvaient plus être utilisés. Il fut donc décidé de créer un vaste système de ravitaillement par convois de camions militaires, le Red Ball Express. Les trois quarts des chauffeurs de camion étaient des Afro-Américains, comme Bill.

SÉGRÉGATION RACIALE EN TEMPS DE GUERRE

En 1939, moins de 4 000 Afro-Américains servaient dans les forces armées américaines, et seulement 12 d'entre eux détenaient le grade d'officier. Dans l'Armée américaine, la ségrégation raciale était strictement appliquée. Les Afro-Américains servaient dans des unités exclusivement noires et il fallut attendre octobre 1940 avant que les Afro-Américains soient acceptés comme pilotes par l'Armée de l'air américaine. Par ailleurs, le Corps des marines refusa d'incorporer des Afro-Américains durant la plus grande partie de la Seconde Guerre mondiale. Et pourtant, plus d'un million d'Afro-Américains s'enrôlèrent sous les drapeaux durant le conflit, contribuant ainsi de façon significative à l'effort de guerre, bien qu'on les ait cantonnés dans des rôles subalternes. L'intégration raciale était la norme au sein des forces du Commonwealth britannique, mais les commandants américains considéraient que le «mélange des races» ne pouvait qu'entraîner le chaos. De célèbres unités afro-américaines servirent avec tant de bravoure, comme l'unité de Bill Moore, qu'elles ouvrirent la voie au président Truman pour qu'il signe, en 1948, un décret ordonnant la déségrégation des troupes.

Le 10 mars 1945, William E. Thomas et Joseph Jackson présentent leurs «œufs de Pâques pour Hitler» (des obus d'artillerie de 155 mm) peu avant d'en charger leur canon.

Le premier Red Ball Express se mit en branle le 25 août 1944. Un convoi de trois mille camions s'élança en respectant une distance de 55 mètres entre chaque camion et une limite de vitesse de 40 kilomètres/heure (chaque camion était équipé d'un limiteur de vitesse). «Je me souviens d'avoir pensé que nous devions ressembler à une rangée de canards», confia Bill. Les avions allemands, qui survolaient le convoi, pouvaient ouvrir le feu à n'importe quel moment, mais heureusement Bill ne fut pas blessé. Les chauffeurs et les mécaniciens étaient constamment sur leurs gardes, à l'affût des avions ennemis, des mines et des embuscades, ce qui constituait une expérience pour le moins éprouvante, mais ils parvinrent à rejoindre la ligne de front, à décharger leur cargaison puis, sur le chemin du retour, à assumer le devoir solennel de ramener les cercueils des soldats américains tués au combat.

Après ce premier convoi, Bill et ses amis prirent la décision de désobéir aux ordres en enlevant les limiteurs de vitesse pour avoir plus de flexibilité en cas d'attaques ennemies et pour achever leur mission le plus rapidement possible. Lorsqu'ils conduisaient de nuit, les chauffeurs devaient recouvrir les phares de leurs camions de rubans adhésifs, jusqu'à les réduire aux fentes étroites d'un œil de chat, ce qui rendait la conduite encore plus angoissante. Bill avait en permanence une mitraillette à bord de son véhicule et, en une occasion, il essaya même d'abattre un avion allemand, sans toutefois y parvenir.

Les chauffeurs de camion de la 666ᵉ Compagnie d'intendance afro-américaine parcoururent au moins 30 000 kilomètres chacun à travers la France, les Pays-Bas et l'Europe centrale.

De retour à la base, entre deux missions, Bill était sollicité pour ses talents de coiffeur. Il appréciait la camaraderie et la saine concurrence entre les chauffeurs du Red Ball Express. Selon lui, les Afro-Américains étaient de bien meilleurs chauffeurs que les Blancs, qui «faisaient grincer les vitesses». Il écrivait régulièrement à Norma et elle lui répondait, mais il lui était bien difficile de ne pas revoir la femme merveilleuse qu'il avait connue seulement trois mois avant d'être envoyé en Europe.

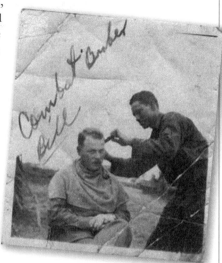

En novembre 1944, les convois du Red Ball Express n'étaient plus nécessaires parce que les lignes de chemin de fer avaient été réparées et le réseau des gazoducs avait été restauré. De plus, le ravitaillement pouvait désormais être acheminé via les ports belges. Bill conduisait toujours son camion, mais ses responsabilités n'étaient plus les mêmes; il devait maintenant recueillir les Américains qui avaient été détenus dans des camps de prisonniers et transporter les soldats allemands qui s'étaient rendus aux forces alliées. Lorsque le printemps arriva, on lui confia une mission bouleversante. Le 4 avril 1945, Bill faisait partie du corps d'armée qui libéra le camp de concentration de Buchenwald. Un petit homme juif «qui ressemblait à un mort-vivant» s'approcha de lui en murmurant «un Américain», puis il tomba dans ses bras et le serra de toutes ses forces «comme jamais personne d'autre ne l'avait serré dans sa vie». Pour Bill, cette expérience fut incroyablement émouvante: il observa ces gens, la plupart d'entre eux à demi morts, en se demandant comment Dieu pouvait laisser les hommes se comporter ainsi les uns envers les autres; il se rendit compte aussi que c'était la première fois que quelqu'un le considérait comme un Américain et que «je valais autant que n'importe quel autre Américain». Chez lui, en Alabama, on l'avait traité de bien des noms, mais jamais personne ne l'avait considéré comme un «Américain».

Will participa ensuite à la libération des détenus des camps de concentration de Dora-Mittelbau, le 10 avril, et de Mauthausen, le 5 mai. Il aida aussi à transporter les survivants de Birkenau, près d'Auschwitz. Il vit des choses épouvantables, qui le poursuivirent pour le restant de ses jours.

Bill, le coiffeur militaire en pleine action. En discutant avec un officier, auquel il coupait les cheveux, Bill apprit que Norma serait à Rouen en juin 1945.

To-day's
TONNAGE
TARGET

RED BALL
HIGHWAY

20,000 TONS
19,000 "
18,000 "
17,000 "
16,000 "
15,000 "
14,000 "
13,000 "
12,000 "
11,000 "
10,000 "
9,000 "
8,000 "
7,000 "
6,000 "
5,000 "
4,000 "
3,000 "
2,000 "
1,000 "

STAY ON THE

BALL

KEEP 'EM

ROLLING!

LES PROUESSES DU RED BALL EXPRESS

À la mi-août 1944, les 1re et 3e Armées américaines avaient pénétré si profondément à l'intérieur du territoire français qu'elles furent coupées de leurs lignes de ravitaillement et durent s'arrêter en raison d'un manque cruel « de haricots, de balles et d'essence », selon le général Patton. Les commandants se réunirent pour trouver une solution; c'est ainsi que le système du Red Ball Express fut conçu. Le Red Ball Express empruntait deux routes qui partaient de Cherbourg, où les camions étaient chargés, jusqu'à une base avancée, située à Chartres au sud-ouest de Paris : la route nord était utilisée pour acheminer le ravitaillement alors que la route sud servait aux voyages de retour. Au plus fort de son activité, le Red Ball Express employait 5958 camions qui transportaient 20 000 tonnes de fournitures et d'approvisionnements lors d'aller-retour d'environ 650 kilomètres. Le terme « Red Ball » (« boule rouge ») était utilisé dans le milieu ferroviaire pour décrire des biens périssables à acheminer prioritairement. En conséquence, des boules rouges furent peintes sur les côtés des camions et sur les signaux de signalisation le long des routes, pour indiquer que ces véhicules avaient une totale priorité sur la circulation civile. Durant ses trois mois d'opération, le Red Ball Express battit tous les records précédents en matière d'acheminement de ravitaillement aux forces armées. Comme le colonel John S. D. Eisenhower, fils du commandant suprême des forces alliées, l'évoquait si bien, « sans le Red Ball Express, une telle avancée à travers l'Europe n'aurait pas été possible ».

Une réunion surprise

Lorsque Bill partit en Europe, Norma était bien décidée à le rejoindre, mais comme l'armée américaine pratiquait à cette époque une ségrégation raciale stricte, il y avait peu d'unités auxquelles elle aurait pu se joindre. Pourtant, durant l'hiver 1944-1945, elle fut affectée au 6888e Bataillon de tri postal, basé à Birmingham en Angleterre, une unité composée de 855 femmes afro-américaines et dirigée par le major Charity Adams Early, l'Afro-Américaine la plus haute gradée de la guerre. Leur rôle fut crucial pour le moral des troupes, car elles faisaient tout ce qui était en leur pouvoir pour s'assurer que les lettres leur parviennent – une tâche colossale parce qu'il y avait alors en Europe quelque sept millions d'Américains qui se déplaçaient constamment, ce qui occasionnait 30 000 changements d'adresse par jour. Tous les soldats attendaient avec impatience les lettres en provenance de leurs proches restés au pays, et les femmes du 6888e bataillon de tri postal travaillaient d'arrache-pied, avec trois équipes sept jours par semaine, pour que le courrier soit livré en temps voulu.

Un policier militaire (page ci-contre) dirige la circulation routière sur une route du Red Ball Express. Environ les trois quarts des chauffeurs du Red Ball Express étaient des Afro-Américains.

Les femmes du 6 888e Bataillon s'entendaient fort bien avec les habitants de Birmingham, comme le confirme cet extrait d'un article du *Birmingham Sunday Mercury*: «Ces membres du Service féminin de l'Armée américaine sont très différentes des femmes de couleur telles qu'on les représente habituellement dans les films... Elles font preuve de beaucoup de dignité et d'une réserve appropriée.» Au printemps 1945, elles furent transférées à Paris. Norma était tout à la fois étonnée et enchantée par l'accueil qui leur était fait. En effet, où qu'elles aillent, les gens, qui leur étaient reconnaissants d'avoir contribué à la libération de leur pays, leur offraient des consommations. C'était très différent du traitement auquel elle avait droit chez elle, à Hillburn, où les écoles et les lieux publics étaient soumis à une stricte ségrégation raciale.

En juin 1945, alors que la date de leur premier anniversaire de mariage approchait, Norma fut envoyée à Rouen. Bill, qui avait découvert où elle était basée en coupant les cheveux d'un officier, était bien décidé à la revoir pour célébrer cet anniversaire avec elle. Comme Bill savait qu'il ne pourrait pas obtenir de congé, le 12 juin, il s'absenta sans permission, empruntant pour ce faire des jeeps, des camions et des motos afin d'accomplir un périple épique à travers l'Allemagne et la France. Il envoya aussi

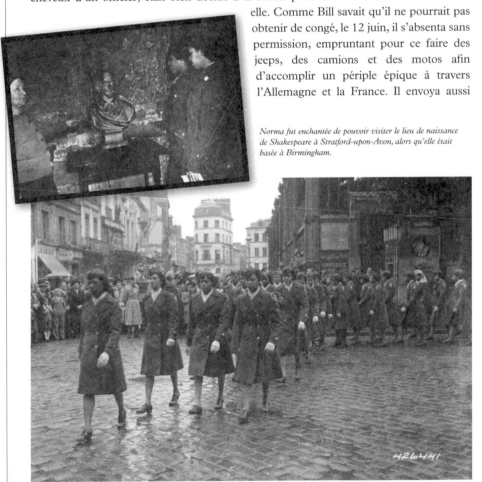

Norma fut enchantée de pouvoir visiter le lieu de naissance de Shakespeare à Stratford-upon-Avon, alors qu'elle était basée à Birmingham.

Alors qu'elles séjournaient à Rouen, les femmes du 6 888e Bataillon de tri postal défilèrent sur la grand-place pour célébrer la mémoire de Jeanne d'Arc à l'endroit même où elle fut brûlée vive, le 30 mai 1431.

un message au capitaine qui supervisait le bataillon de Norma pour l'informer qu'il serait bientôt là tout en lui demandant de garder le secret.

Norma, qui ne se doutait de rien, était assise dans un café avec une amie lorsque son mari s'avança vers elle en souriant. En presque un an, c'était la première fois qu'ils se revoyaient. «Nous nous sommes simplement serrés et embrassés», déclara-t-elle ultérieurement. En cadeau, il lui avait apporté une boîte de chocolats suisses mi-sucrés. Bien que ces chocolats fussent les plus

> *... ils s'aimaient d'une passion farouche qui naquit à Fort Jackson...*

délicieux qu'elle ait jamais goûtés, revoir son mari fut pour elle, et de loin, le présent le plus précieux. Par contre, il fallait qu'il reparte, car il risquait la cour martiale. Il fit donc très vite demi-tour et revint à son point de départ en moins de 24 heures. Bill s'entendait si bien avec ses commandants qu'il réussit à échapper à toute sanction pour cet exploit, mais sa femme n'oublia jamais le geste romantique dont il avait fait preuve ce jour-là. «Après toutes les horreurs de la guerre, je devais voir la personne que j'aimais le plus au monde», expliqua-t-il.

Bâtir une vie chez soi

En septembre 1945, Norma fut la première à retourner aux États-Unis où Bill la rejoignit en novembre. Ils se retrouvèrent dans la maison de la mère de Norma, à Hillburn, où le reste de la famille était pour la première fois réuni pour accueillir Bill. Ils se rendirent ensuite à Tuskegee, où Bill termina sa formation, puis ils revinrent à Hillburn pour la naissance de Nancy, leur premier enfant. Bill trouva un travail de mécanicien de camions tout en œuvrant comme coiffeur indépendant. En 1960, Bill, qui gagnait fort bien sa vie, fut un des premiers membres noirs de la section locale de l'Union internationale des opérateurs-ingénieurs de l'État de New York. Cependant, dans les années 1970, un accident de travail lui causa de sévères brûlures aux mains, le forçant à prendre prématurément sa retraite. À cette époque, Bill et Norma vivaient avec fierté dans une confortable maison de trois chambres entourée d'un terrain de quatre hectares dans la ville de Pine Bush, et leurs quatre enfants allaient à l'école avec leurs petits voisins blancs.

Bill et Norma avaient des caractères très différents – il était le plus sociable des deux –, mais ils s'aimaient d'une passion farouche qui naquit à Fort Jackson et dura jusqu'à la fin de leurs vies.

CARTE D'IDENTITÉ

DESMOND PAUL HENRY
NOM

BRITANNIQUE
NATIONALITÉ

5 JUILLET 1921
DATE DE NAISSANCE

SERGENT D'ÉTAT-MAJOR
ET EMPLOYÉ TECHNIQUE
FONCTION

CORPS ROYAL DES INGÉNIEURS
ÉLECTRICIENS ET MÉCANICIENS
AFFECTATION

MARIÉ
19 MAI
1945

SECONDE GUERRE · HISTOIRES D'AM

LOUISA HENRIETTE
JEANETTE BAYEN
NOM

BELGE
NATIONALITÉ

1ᴱᴿ MAI 1920
DATE DE NAISSANCE

MARIÉE
19 MAI
1945

SECONDE · HISTOIRES D'AMOUR

Desmond Paul et Louisa Henry

LOUISA

St Acheuil, à Amiens, quand j'étais assis à tes côtés à la première Dimanche depuis

Procure Générale, Paris   C 2   Marechaux, pinxit

ECCE PANIS ANG

*1944 en France. Entouré de ses camarades,
Desmond, qui porte la moustache, se trouve
au premier rang à gauche.*

*Une photographie de Louisa portant
l'inscription suivante : «Paul, mon amour,
de tout mon cœur, Loup.»*

La guerre contrecarra les plans de Louisa et Desmond, mais, loin de ruiner leurs vies, elle leur permit — en les réunissant — d'améliorer de beaucoup leurs perspectives d'avenir et d'atteindre un niveau de vie qu'ils n'auraient pas connu autrement.

Dès son plus jeune âge, il apparut clairement que Desmond n'était pas un enfant ordinaire; plutôt que de jouer au soccer, il préférait lire des encyclopédies ou passer de longues heures à étudier les pièces de chaudronnerie dans les catalogues que son père ramenait de son travail à la maison. À cette époque, son héros était Léonard de Vinci. Desmond, qui aspirait lui aussi à devenir artiste et inventeur, dépensait tout son argent de poche dans du papier à dessin sur lequel il dessinait avec passion. Ce besoin de dessiner était si fort que ses parents le laissaient même barbouiller les murs de sa chambre ! Catholiques fervents, ces derniers durent batailler ferme pour le faire admettre au collège Huddersfield, un établissement de l'Église d'Angleterre situé dans le Yorkshire, qui était la seule école secondaire de sa région. Une fois admis, Desmond brilla sur le plan scolaire et acquit vite une réputation de farceur : un de ses tours favoris consistait à placer un sac en papier rempli de poudre noire faite maison sur les lignes de tramway, ce qui entraînait une explosion chaque fois que les roues du tramway écrasaient le sac; le chauffeur, qui freinait alors brusquement et sortait précipitamment de sa cabine, constatait avec stupeur qu'il n'y avait rien

> *Desmond réussit avec brio dans toutes les matières — y compris le français...*

sous son véhicule. Desmond réussit avec brio dans toutes les matières — y compris le français —, mais sa famille n'était malheureusement pas assez fortunée pour pouvoir l'envoyer à l'université. À l'âge de 16 ans, après avoir passé avec succès un concours, il fut donc engagé comme commis débutant dans les bureaux de la compagnie Huddersfield Waterworks.

À l'inverse, l'enfance de Louisa à Liège, en Belgique, fut marquée par la tragédie. Son père, qui avait été mineur durant 34 ans, et ce, dès l'âge de dix ans, mourut de pneumonie. Louisa était alors âgée de deux ans, mais elle n'oublia jamais la vision de sa mère, accablée par le chagrin, qui enveloppait les pieds de son mari avec des écharpes pour le réchauffer, alors que la froideur de la mort s'emparait de lui. Durant les cinq années qui suivirent, Louisa porta exclusivement des vêtements noirs en signe de deuil. Louisa et sa mère durent se battre pour survivre, car celle-ci gagnait fort peu comme femme de ménage et couturière. Sa mère travaillait de si longues heures que Louisa se retrouvait toujours seule chez elle après l'école en attendant le retour de sa mère, qui rentrait généralement autour de vingt heures. Néanmoins, Louisa réussissait très bien et, à l'âge de 14 ans, elle fut admise à l'École normale de Liège, un établissement prestigieux où les enseignants

l'encouragèrent et lui avancèrent même, en toute discrétion, l'argent nécessaire pour acheter ses manuels scolaires. Elle savait bien qu'il lui serait très difficile d'épouser quelqu'un issu d'un milieu éduqué, car, à cette époque en Belgique, les filles avaient besoin d'une dot pour faire un bon mariage, ce que personne ne pouvait lui offrir. En mai 1940, alors qu'elle célébrait son vingtième anniversaire et obtenait son diplôme d'institutrice, les troupes d'Hitler envahirent son pays. Dès lors, tout allait changer.

Une rencontre placée sous le sceau du destin

En 1938, lorsque la guerre lui apparut imminente, Desmond se porta volontaire pour incorporer l'Armée territoriale du Royaume-Uni. De cette façon, en cas de guerre, il ne serait pas appelé sous les drapeaux pour servir de «chair à canon». Il fit le choix de s'engager en qualité d'employé technique au sein du Corps royal des ingénieurs électriciens et mécaniciens, ce qui lui permettait de poursuivre ses recherches dans les domaines de la machinerie et de la technologie. Il fut affecté à une base, près de Cardiff au pays de Galles, où il prit la responsabilité d'un bureau ayant pour mission de commander des pièces détachées destinées aux canons antiaériens; il lui arrivait de se rendre dans les ateliers pour aider à réparer certains équipements. Il bénéficia aussi d'un programme qui permettait au personnel militaire d'assister gratuitement à des cours d'histoire de l'art, au Musée des beaux-arts de Cardiff. Le samedi soir, tous les soldats allaient danser. C'est ainsi qu'il rencontra une fille qu'il apprécia suffisamment pour lui offrir son chapelet. Mais cette histoire n'eut pas de suite.

Desmond (au premier rang, deuxième à partir de la gauche) avec certains de ses camarades du Corps royal des ingénieurs électriciens et mécaniciens, qui fut constitué en octobre 1942 pour assurer le bon fonctionnement de tous les équipements électriques et mécaniques de l'armée.

Louisa, qui ne parvenait pas à décrocher un emploi d'institutrice, risquait d'être enrôlée de force dans un camp de travail allemand si elle demeurait au chômage. Inquiète, elle informa son entourage de sa situation. Par l'intermédiaire d'une des femmes pour lesquelles sa mère faisait de la couture, on leur proposa à toutes deux des emplois et un logement à Bruxelles, où elles travailleraient pour le compte d'une femme belge qui possédait une joaillerie. Louisa et sa mère furent engagées respectivement comme secrétaire et femme de ménage; de plus, elles disposeraient d'un appartement situé au-dessus du commerce, soit au numéro 19 de la rue du Pont-Neuf, à deux pas d'un café accueillant des prostituées et des travestis. C'était un quartier très vivant du centre-ville de Bruxelles. Elles étaient soulagées de se sentir enfin à l'abri, étant donné les histoires d'horreur qui accablaient leurs proches dans la Belgique occupée.

En 1942, une jeune femme, Elly Gelenne, vint se cacher dans leur maison alors que son mari, Paul, qui appartenait à la Résistance, venait tout juste d'être arrêté par la Gestapo. Louisa et sa mère la confortèrent comme elles purent tandis qu'Elly espérait des nouvelles fraîches, puis elles la consolèrent lorsque celle-ci apprit, en mars 1943, en lisant le journal que Paul avait été exécuté. La vie sous l'occupation était très difficile : les rations d'un mois ne duraient qu'une semaine, ce qui les forçait à s'approvisionner sur le marché noir. Comme elles ne pouvaient acheter de vêtements, elles mirent à profit leurs talents de couturières pour raccommoder ou en confectionner des neufs. Louisa était une fille très sociable qui aimait rencontrer des gens. Pourtant, elle passait la plupart de ses soirées chez elle, avec Elly et sa mère, en priant pour qu'un jour prochain l'occupation cesse.

Durant les premières années de la guerre, Desmond fut basé en Angleterre, mais, en juin 1944, il fut transféré en France au sein de l'équipe de soutien qui accompagnait la deuxième vague de débarquements en Normandie. Les réalités de la guerre s'imposèrent vite à lui lorsque le bateau à bord duquel il devait traverser la Manche fut bombardé alors qu'il était amarré dans un port anglais. Ce bateau fut frappé par une bombe téléguidée à distance – probablement une des premières bombes volantes de type V-1 qui furent larguées sur la Grande-Bretagne. Desmond, se trouvant sur le pont supérieur, put s'échapper en grimpant sur les débris qui ensevelissaient ses camarades du pont inférieur. Finalement, il débarqua à Juno Beach, avec les forces canadiennes, en un lieu appelé Le Hamel. À son arrivée en sol français, il observa un régiment de Sherwood Foresters, qui s'apprêtaient à monter au front dans leurs uniformes verts et qui furent ramenés sans vie, le soir même, leurs corps entassés à l'arrière d'un camion.

Desmond arrive à Le Hamel en Normandie, en juin 1944. Les tanks et les véhicules motorisés furent débarqués directement sur la plage.

LE JOUR J

L'invasion alliée de la Normandie commença le 5 juin 1944 lorsque deux groupes de bombardiers alliés larguèrent des bandes de papier aluminium afin de désorienter les radars allemands. Peu après minuit, 1 760 tonnes de bombes furent déversées sur les troupes allemandes qui défendaient la côte normande. Au total, plus de 6 500 bateaux de toutes sortes traversèrent la Manche, ce qui permit le débarquement de 194 000 soldats sur cinq plages portant les noms de code «Sword» «Juno», «Gold», «Omaha», et «Utah». À la fin du jour, 150 000 hommes avaient réussi à prendre pied en territoire français alors que la seule division allemande présente dans la région avait été détruite. Six semaines de combats acharnés furent nécessaires avant que les troupes alliées puissent progresser au-delà de la Normandie. Une tête de pont avait été établie en Europe occupée au terme d'une des opérations de planification militaire les plus remarquables que le monde ait connues.

Le message de Dwight D. Eisenhower aux troupes alliées qui participaient aux débarquements du jour J. Desmond y inscrivit: «Nous étions tous à l'invasion de juin 1944» et «Atelier Coy du Régiment 112 HAA»

Les derniers mètres (en bas) avant la plage..

SUPREME HEADQUARTERS
ALLIED EXPEDITIONARY FORCE

We were all there in the first wave of the June 1944 invasion

112 HAA Regt Workshop Coy

Soldiers, Sailors and Airmen of the Allied Expeditionary Force!

You are about to embark upon the Great Crusade, toward which we have striven these many months. The eyes of the world are upon you. The hopes and prayers of liberty-loving people everywhere march with you. In company with our brave Allies and brothers-in-arms on other Fronts, you will bring about the destruction of the German war machine, the elimination of Nazi tyranny over the oppressed peoples of Europe, and security for ourselves in a free world.

Your task will not be an easy one. Your enemy is well trained, well equipped and battle-hardened. He will fight savagely.

But this is the year 1944 ! Much has happened since the Nazi triumphs of 1940-41. The United Nations have inflicted upon the Germans great defeats, in open battle, man-to-man. Our air offensive has seriously reduced their strength in the air and their capacity to wage war on the ground. Our Home Fronts have given us an overwhelming superiority in weapons and munitions of war, and placed at our disposal great reserves of trained fighting men. The tide has turned ! The free men of the world are marching together to Victory !

I have full confidence in your courage, devotion to duty and skill in battle. We will accept nothing less than full Victory !

Good Luck ! And let us all beseech the blessing of Almighty God upon this great and noble undertaking.

Dwight D Eisenhower

L'unité de Desmond atteignit Lisieux, Amiens, puis Pont-de-Briques dans le nord de la France, où ses compétences en français furent très appréciées de ses camarades, pour communiquer avec les populations locales. En raison de sa maîtrise de la langue française, son colonel lui demanda, en septembre 1944, de livrer une lettre confidentielle à une femme vivant à Bruxelles – une certaine Elly Gelenne. Évidemment, il ne savait pas ce que cette lettre contenait; on lui avait simplement indiqué l'adresse : 19, rue du Pont-Neuf.

Une cour rapide

Desmond ne savait pas qu'il était porteur d'une lettre informant Elly Gelenne que son mari, Paul Gelenne, avait été torturé avant d'être exécuté par les Allemands au camp de concentration de Breendonk. En apprenant cette nouvelle, Elly fut dévastée. Elle montra la lettre à Desmond qui tenta de la réconforter. Il allait prendre congé lorsqu'Elly l'invita à souper puis demanda à Louisa de se joindre à eux.

Desmond se présenta sous le nom de «Paul Henry», comme il le faisait toujours quand il parlait français, parce que Desmond était souvent prononcé «démon» par ses interlocuteurs. Louisa lui avoua son surnom, «Loup». En dépit des circonstances tragiques ayant présidé à ce souper, Louisa et Desmond furent immédiatement attirés l'un par l'autre, en découvrant qu'ils partageaient la même passion pour la littérature et la poésie française. Louisa fut aussitôt séduite par ce soldat anglais si brillant et si gentil alors que Desmond était subjugué par cette francophone absolument ravissante. Ils échangèrent leurs adresses, entamant ainsi une correspondance assidue.

Durant les quelques mois qui suivirent, l'unité de Desmond fut transférée vers la Belgique puis vers les Pays-Bas. Dès que Desmond obtenait une permission et trouvait un moyen de transport, il se rendait à Bruxelles pour rencontrer Louisa. Ils allaient au cinéma et allaient danser, puis Desmond regagnait les quartiers des soldats britanniques séjournant à Bruxelles. En novembre 1944, après un de ses voyages, il monta à bord d'un camion militaire pour rejoindre le convoi de son régiment. Juste avant qu'il ait pu atteindre la position de ses camarades, une fusée V-2 frappa le convoi. La force de l'explosion fut telle que le camion de Desmond fut soulevé puis se retourna, mais il parvint à s'extraire avec seulement quelques coupures et ecchymoses. Les hommes de son régiment ne furent pas aussi chanceux et il perdit de nombreux camarades ce jour-là; s'il avait occupé sa place habituelle dans le convoi, il aurait sans doute été tué.

Ensemble à Bruxelles durant l'hiver 1944-1945, après que Desmond l'eut demandée en mariage.

Le 16 décembre, il était de nouveau à Bruxelles en compagnie de Louisa alors que ses camarades se rendaient au même moment au cinéma Rex à Anvers pour voir un film. Une bombe volante V-2 frappa directement le cinéma; 567 personnes furent tuées et 291, blessées. Desmond avoua à Louisa qu'il se serait retrouvé parmi eux s'il n'avait pas été avec elle. Une fois de plus, leur relation lui avait sauvé la vie.

Le jour de Noël 1944, alors qu'il se trouvait en permission en Angleterre, Desmond acheta une bague de fiançailles d'une valeur de 20 livres sterling. Il ne connaissait Louisa que depuis trois mois et ne l'avait rencontrée qu'à cinq ou six reprises, mais il était déjà certain des sentiments qu'il éprouvait. Au début de l'année suivante, il lui proposa de l'épouser, ce qu'elle accepta immédiatement avec joie. Ils se marièrent le 19 mai 1945, soit 11 jours après la victoire, lors d'une cérémonie civile à l'hôtel de ville, sur la grand-place de Bruxelles, où les soldats furent autorisés à passer devant les couples civils qui eux aussi attendaient pour se marier. Ce mariage civil fut suivi par une cérémonie religieuse, célébrée dans une église catholique, puis par un souper au 19, rue du Pont-Neuf, en compagnie de membres de la famille et de quelques amis.

Ils ne passèrent qu'une seule nuit ensemble, comme mari et femme, avant que Desmond ne regagne sa base en Allemagne. Durant les jours qui suivirent, Louisa vécut dans l'anxiété, car elle redoutait qu'il soit affecté en Asie ou qu'elle se retrouve seule et enceinte, s'il était tué. En fait, c'est elle qui faillit perdre la vie lors d'une crise d'appendicite, mais Desmond put fort heureusement payer les frais de cette chirurgie.

Desmond et Louisa le jour de leur mariage,
le 19 mai 1945, à l'extérieur de l'hôtel de ville
de Bruxelles, 11 jours après la victoire des
Alliés en Europe.

Quand on est loin de sa maison

Au moment de son mariage, Louisa ne parlait pas l'anglais. Elle connaissait Desmond depuis quelques mois seulement et elle n'avait rencontré aucun membre de sa famille. En conséquence, en l'épousant, elle fit preuve d'un véritable acte de foi, mais elle l'aimait tant qu'elle était prête à remettre sa vie entre ses mains. Desmond lui avait expliqué qu'ils devraient vivre avec ses parents, du moins jusqu'à ce qu'il trouve du travail et puisse leur acheter une maison bien à eux.

À l'automne 1945, elle traversa seule la Manche sur un bateau rempli d'épouses de guerre, qui se rendaient en Grande-Bretagne pour bâtir une nouvelle vie. Elle discuta avec deux filles belges qui étaient dans la même situation qu'elle et elles restèrent en contact, échangeant des notes sur leurs expériences de la Grande-Bretagne d'après-guerre.

Louisa fut accueillie à Leeds, dans le Yorkshire, par son nouveau beau-père, qui lui fit découvrir la maison familiale

Au moment de son mariage, Louisa ne parlait pas l'anglais. Elle connaissait Desmond depuis quelques mois seulement...

de Desmond, où la chambre d'amis avait été préparée à son intention. Elle était déterminée à faire bonne impression, mais ce fut difficile, car ses progrès en anglais n'étaient pas aussi rapides qu'elle l'aurait souhaité. La grand-mère de Desmond lui demanda un jour si elle était une pianiste «accomplie», et Louisa dut admettre, non sans honte, qu'elle ne savait pas jouer du piano parce qu'il n'y en avait jamais eu chez elle. Hormis les puddings, elle n'aimait pas particulièrement la nourriture anglaise et, au début, elle se sentit très mal à l'aise dans cette nouvelle vie. Mais les parents de Desmond comprirent vite ce que leur fils avait su apprécier chez cette épouse vivante, intelligente et attentionnée.

Desmond dut attendre la fin 1945 avant d'être démobilisé et de revenir à Leeds. L'été 1946, il offrit à Louisa une lune de miel tardive à Torquay, sur la côte sud-ouest de l'Angleterre. Il songeait à suivre une formation pour devenir instituteur, mais le colonel

Après le mariage (à partir de la gauche), Elly Gelenne, Catherine, la mère de Louisa, Louisa, Desmond et Jeanne Delbouille, la sœur aînée de Louisa. C'était le début d'une vie entièrement nouvelle pour Louisa.

LES FUSÉES V

L'ingénieur allemand Wernher von Braun, un pionnier de l'astronautique, joua un rôle déterminant dans la conception et le développement d'une nouvelle gamme de fusées téléguidées à carburant liquide de type V, une avancée majeure sur les fusées conçues jusque-là. Les premières V-1, qui avaient une portée de 200 kilomètres et étaient équipées d'ogives explosives de 850 kilos, s'abattirent sur Londres le 13 juin 1944. Les V-2, encore plus meurtrières avec une portée de 300 kilomètres et des ogives d'une tonne, volaient si rapidement et à si haute altitude qu'il était presque impossible de les intercepter. En 1945, 33 000 personnes furent tuées ou blessées par les fusées V qui frappèrent l'Angleterre. Sur le continent, de nombreux soldats et civils furent tués par ces fusées, qui servaient à cibler les troupes qui progressaient en Europe. Après la guerre, von Braun participa au programme des missiles balistiques américains, puis il rejoignit la NASA pour la conception de la fusée géante Saturn V, qui joua un rôle déterminant dans la réussite des missions lunaires américaines ultérieures.

Leigh, le chef de son régiment, qui avait remarqué son intelligence, lui suggéra de faire une demande de bourse, spécialement conçue pour les soldats qui désiraient poursuivre des études universitaires sans avoir les qualifications nécessaires pour entrer à l'université. Après avoir passé haut la main l'examen d'entrée, Desmond étudia durant quatre ans, de 1946 à 1949, la philosophie à l'Université de Leeds, où il obtint un diplôme avec mention, qui lui permit de décrocher immédiatement un poste d'enseignant à l'Université de Manchester. Au début, ils manquèrent cruellement d'argent, mais, en 1951, Desmond et Louisa purent enfin acheter leur propre maison, trois ans après la naissance de leur fille aînée. Ils eurent trois filles, qui leur donnèrent six petits-enfants.

Une fusée V-1 en plein vol, en 1944. Ces fusées étaient connues sous le nom de « bombes volantes » par les Britanniques.

Au début des années 1950, fort de son expérience de l'artillerie antiaérienne, Desmond acheta au surplus de l'armée un ordinateur de visée de bombardement, doté d'un calculateur analogique qui calculait l'angle de bombardement optimal, par rapport à la position de l'avion, pour maximiser l'impact des bombes sur les cibles visées. Captivé par les «paraboles hors pair» et les effets visuels générés par les éléments mobiles internes de cet ordinateur, il décida de le convertir en une machine graphique, afin de capturer ces mouvements mécaniques sur papier.

En 1961, Desmond remporta le premier prix du concours artistique du Musée des beaux-arts de Salford, ce qui lui permit d'exposer ses œuvres en solo dans une galerie du West End à Londres. Lorsqu'un des

Dessin de Desmond exposé à Hambourg en 1945. Il pourrait s'agir d'Abélard, le moine médiéval, un personnage qui le fascinait.

membres du jury, L. S. Lowry, découvrit pour la première fois sa machine graphique en action, il insista pour que Desmond inclue des images générées par la machine lors de son exposition à Londres. À la suite de ses nombreuses expositions sur l'art généré par la machine, Desmond fut reconnu comme un des pionniers de l'art numérique.

Alors que la guerre avait représenté le deuil et la misère pour la plupart des gens, elle permit à Desmond d'exprimer sa créativité et d'atteindre la pleine réussite universitaire. Quant à Louisa, elle trouva un mari raffiné, intelligent et francophile, et ce, sans avoir la moindre dot.

CARTE D'IDENTITÉ

ÉTIENNE MICHEL RENÉ SZABO
NOM

HONGROISE
NATIONALITÉ

4 MARS 1910
DATE DE NAISSANCE

ADJUDANT-CHEF
FONCTION

13ᵉ DEMI-BRIGADE
DE LÉGION ÉTRANGÈRE
AFFECTATION

VIOLETTE REINE ELIZABETH
BUSHELL
NOM

ANGLO-FRANÇAISE
NATIONALITÉ

26 JUIN 1921
DATE DE NAISSANCE

ENSEIGNE
FONCTION

ATS / DIRECTION DES
OPÉRATIONS SPÉCIALES
AFFECTATION

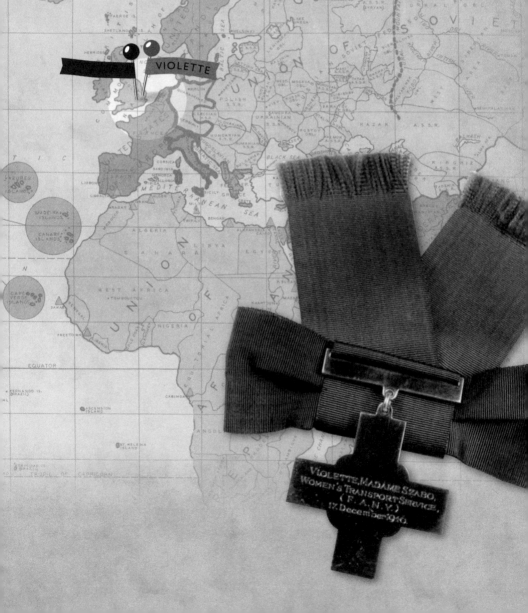

Étienne et Violette Szabo

VIOLETTE

VIOLETTE, MADAME SZABO,
WOMEN'S TRANSPORT SERVICE,
(F.A.N.Y.)
IX December 1946

*Violette et Étienne formaient un si beau couple qu'ils attiraient
les regards partout où ils allaient.*

Dans une rue très fréquentée de Londres, la rencontre fortuite entre une Parisienne et un officier d'origine hongroise produisit une des héroïnes les plus connues de la Seconde Guerre mondiale et servit de prélude à une histoire d'amour tragique.

Violette était très au fait des histoires d'amour en temps de guerre parce que sa mère, une Française, avait rencontré son père, un Anglais, à Paris durant la Première Guerre mondiale. La famille revint vivre à Londres lorsque Violette avait 11 ans et, lors du déclenchement de la Seconde Guerre mondiale, Violette vendait des parfums dans une succursale du grand magasin le Bon Marché, à Brixton.

Au milieu des années 1940, des milliers de Français, qui fuyaient les nazis et affluaient à Londres, décidèrent de défiler devant le cénotaphe de Whitehall pour célébrer le 14 juillet, la fête nationale française commémorant la prise de la Bastille. En compagnie de son amie, Winnie Wilson, Violette se joignit à la foule, car sa mère lui avait suggéré de ramener à dîner un soldat français qui souffrait du mal du pays. Winnie et Violette, qui ne voulaient pas paraître trop entreprenantes, entamèrent une discussion avec un homme de belle prestance, membre de la Légion étrangère française qui répondait au nom d'Étienne Szabo. Il fut enchanté d'accepter leur invitation, attiré à la fois par la beauté de Violette et par la perspective de déguster un bon repas maison.

Durant le dîner, Étienne livra certains éléments de sa biographie à la famille de Violette. Né en Hongrie, il s'était retrouvé orphelin très jeune et avait été envoyé chez des parents, près de Marseille. Au début de la vingtaine, il s'était engagé dans la Légion étrangère et avait subi l'épreuve du feu à Narvik, en Norvège, lorsque son unité débarqua au milieu d'un déploiement de troupes allemandes et fut forcée de battre en retraite vers la frontière suédoise. Violette était éblouie. Courageux et farouchement déterminé à se battre jusqu'à ce que l'ennemi nazi soit vaincu, Étienne était de loin l'homme le plus intéressant et le plus excitant qu'elle ait jamais rencontré. Lorsqu'il lui demanda s'il pourrait la revoir, sa réponse fut un « oui » sans équivoque.

Violette dans une humeur légère avant la guerre.
Elle aimait la danse et le sport.

Une cour assidue de 38 jours

Durant le reste de sa permission, Étienne et Violette se virent chaque jour puis, lorsqu'il dut rejoindre sa base, ils s'écrivirent quotidiennement. En quelques semaines, ils étaient tombés follement amoureux et ils évoquaient la perspective du mariage. Étienne ne parlait pas anglais et le père de Violette ne parlait pas français. Étienne dut apprendre des rudiments d'anglais, du moins le strict nécessaire pour pouvoir demander formellement Violette en mariage. Âgée de 19 ans, cette dernière était encore techniquement une mineure ; il lui fallait la permission de ses parents. Ceux-ci furent choqués par l'évolution rapide de cette cour assidue et par leur différence d'âge de 11 ans. Cependant, ils étaient conscients qu'Étienne

était un gentilhomme et que leur fille, au caractère bien trempé, n'accepterait pas facilement de voir ses plans contrecarrés.

Le 21 août 1940, le couple se maria au bureau d'enregistrement d'Aldershot, dans le comté du Hampshire ; durant une semaine, ils célébrèrent leur lune de miel dans un petit hôtel situé à proximité. Quand Étienne reprit la mer pour l'Afrique, où il devait rejoindre la 13e Brigade, Violette rentra chez ses parents. Désireuse de soutenir l'effort de guerre comme son mari qui risquait chaque jour sa vie en Afrique, elle se porta volontaire pour travailler à l'Office des postes et télécommunications.

La brigade d'Étienne dut entamer un long périple, doublant le cap de Bonne-Espérance puis remontant le long de la côte est de l'Afrique, avant de pénétrer en Érythrée où elle combattit les forces italiennes, puis elle se dirigea vers le Sinaï et la Syrie.

Les hommes de cette brigade devaient combattre contre leurs propres compatriotes (voir p. 74), mais les Forces françaises libres finirent par s'imposer, en prenant Damas en mai 1941.

Étienne et Violette, le jour de leur mariage. Violette étant mineure, ils durent obtenir une autorisation spéciale pour se marier.

Tania naquit à l'hôpital Sainte-Marie... une petite fille aux cheveux noirs, le portrait craché de son père.

À la fin du mois d'août, soit plus d'un an après son mariage, Étienne put revenir en Angleterre pour revoir la femme magnifique qu'il avait épousée. Elle prit le train pour le rejoindre à Liverpool, où ils vécurent une seconde lune de miel d'une semaine, mais le temps s'envola et il dut retourner en Afrique. Après son départ, Violette s'engagea dans l'Auxiliary Territorial Service (ATS), la branche féminine de l'Armée britannique, où elle commença sa formation – pour finalement se rendre compte qu'elle était enceinte. Il était quasi impossible d'informer Étienne de la situation, mais lorsqu'il apprit enfin la nouvelle, il en fut ému jusqu'aux larmes. Le 8 juin 1942, Tania naquit à l'hôpital Sainte-Marie dans le quartier londonien de Paddington – une petite fille aux cheveux noirs, le portrait craché de son père.

Follement heureux (en haut) durant leur lune de miel, en août 1940.

Durant la bataille de Bir Hakeim (en bas), l'unité d'Étienne fut attaquée sur terre et dans les airs.

ALLÉGEANCES PARTAGÉES

Le 18 juin 1940, trois jours après que le maréchal Pétain eut signé l'armistice avec l'Allemagne nazie, le général Charles de Gaulle lança sur les ondes de la BBC un appel au peuple français, lui demandant de poursuivre et d'intensifier sa résistance à l'ennemi. « Le dernier mot est-il dit ? L'espérance doit-elle disparaître ? La défaite est-elle définitive ? Non ! » déclara-t-il. Comme la population française, la Légion étrangère était déchirée entre ceux qui souhaitaient rallier les Forces françaises libres du général de Gaulle et ceux qui soutenaient le gouvernement de Vichy, dirigé par Pétain. Dans la brigade d'Étienne, la 13e DBLE, 31 officiers choisirent d'être rapatriés alors que les 28 autres, dont Étienne, décidèrent de constituer une unité des Forces françaises libres, qui dut combattre les légions de Vichy durant la campagne de Syrie en 1941.

Au même moment, la brigade d'Étienne, la 13e Demi-brigade de Légion étrangère (DBLE), était retranchée à Bir Hakeim, dans le désert du Sahara, où elle subissait les bombardements constants des forces terrestres et aériennes du maréchal Rommel. Bien que largement dépassées en nombre par les troupes allemandes, les Forces françaises libres réussirent à contenir l'avancée allemande pendant 16 jours, durant lesquels un tiers des camarades d'Étienne furent tués. Le 10 juin, ils furent encerclés, mais ils parvinrent à s'échapper juste avant qu'une division blindée allemande investisse leur position et découvre qu'ils s'étaient repliés. Toutefois, leur sacrifice ne fut pas vain, car ces 16 jours permirent aux Britanniques de déployer avec efficacité leur armée pour mieux résister aux assauts de Rommel.

Lorsqu'Étienne fut en lieu sûr, il apprit la naissance de Tania et demanda aussitôt une permission pour rentrer en Angleterre rencontrer sa fille. Mais, le 23 octobre, sa brigade fut déployée lors de la bataille d'El Alamein. Les soldats des Forces françaises libres avaient pour mission de gravir une falaise abrupte puis, une fois parvenus au sommet, d'attaquer les tanks allemands et italiens. Il s'agissait là d'un défi presque impossible à relever. Selon les dépêches militaires, Étienne fit preuve d'un grand courage en menant ses hommes au combat, mais, le matin du 24 octobre, il fut gravement blessé et il mourut dans

Le général de Gaulle passe en revue les troupes françaises à Whitehall, le 14 juillet 1940, le jour du mariage de Violette et Étienne.

l'ambulance. Il ne saurait jamais que son action héroïque à Bir Hakeim avait aidé les Alliés à remporter la bataille d'El Alamein, qui fut un tournant décisif dans la guerre du Désert.

Au début, sachant qu'il y avait un long délai d'attente avant que les lettres en provenance d'Afrique ne lui parviennent, Violette ne s'inquiéta pas outre mesure de son silence, mais, après quelques semaines sans nouvelles, elle entreprit de faire des recherches. Entre-temps, elle lui écrivait chaque jour, pour lui décrire les progrès de leur fille et l'assurer de son amour. Lorsqu'elle apprit la tragique nouvelle, elle fut dévastée. Ils avaient passé si peu de temps ensemble. Son chagrin se transforma rapidement en colère. Elle fit alors le serment de tout faire pour vaincre les Allemands qui avaient tué son mari bien aimé et de venger sa mort.

L'agent secret Szabo

À l'Auxiliary Territorial Service (ATS), ses supérieurs avaient remarqué que Violette parlait couramment français. Après la mort d'Étienne, les membres d'un service secret britannique, connu sous le nom de «Special Operations Executive» (SOE, «Direction des opérations spéciales»), la contactèrent et lui demandèrent si elle était prête à travailler pour eux. Leur mission consistait à assurer la liaison avec les cellules de la Résistance opérant dans l'Europe occupée, à organiser la livraison d'armes et de fournitures – destinées à saboter les infrastructures, entravant ainsi les mouvements des troupes allemandes – ainsi que d'appareils radio afin de recueillir des informations cruciales sur les activités de l'ennemi. La SOE voulait que Violette opère, en tant que courrier, derrière les lignes ennemies; toujours accablée de chagrin, elle n'hésita pas un instant et accepta sur-le-champ. En juin 1943, après avoir confié Tania aux bons soins d'une nourrice qui vivait dans le quartier de Mill Hill à Londres, elle commença sa formation.

Rommel, à la tête de la 15ᵉ Division blindée. Les Allemands, qui furent vaincus par les troupes de Montgomery à la bataille d'El Alamein, durent battre en retraite vers la Tunisie.

Violette fut envoyée dans un camp, à Arisaig dans les Highlands d'Écosse, où elle apprit à lire des cartes, à manipuler des explosifs, à tirer avec des armes à feu, à utiliser un couteau pour tuer et à sauter en parachute d'un avion. Lors de son premier saut en parachute, elle se blessa gravement la cheville, mais elle poursuivit sa formation avec une détermination inébranlable, dont témoignèrent tous ceux qui la rencontrèrent. Lorsqu'on lui demandait : « Pourquoi faites-vous tout cela ? », elle répondait sans hésiter : « Parce que je veux tuer des Allemands. » Pour elle, l'équation était simple – venger la mort d'Étienne en tuant le plus d'Allemands possible. Sa formation prit fin en février 1944, date à laquelle elle fut jugée apte à accomplir sa première mission. Sachant qu'elle risquait sa vie, avant de partir en mission, elle fit un testament par lequel elle léguait toutes ses possessions à sa fille. La nuit du 5 avril 1944, Violette fut parachutée au-dessus de la France occupée, où elle devait rencontrer des membres locaux de la Résistance. Elle prit le train jusqu'à Rouen, dont elle parcourut les environs afin de comprendre ce qu'il était advenu des membres d'une cellule de la Résistance, qui avait été démantelée avant que des arrangements puissent être faits pour la restructurer. Une fois sa mission accomplie, soit la reconstitution d'un nouveau groupe autour de Rouen, région stratégique à l'approche du débarquement, elle se dirigea vers Paris, où elle fit des emplettes et acheta des robes chez Molyneux, le célèbre couturier, avant de rejoindre l'avion Lysander qui devait la ramener en Angleterre. Après avoir décollé dans la nuit du 27 avril d'un champ situé au sud-ouest de Paris, l'avion fut la cible de tirs ennemis lors du vol de retour, mais il parvint à s'en sortir intact. Cette mission fut un franc succès. En reconnaissance du travail accompli, Violette fut promue au rang d'enseigne par la SOE.

Une seconde mission funeste

Deux missions furent annulées avant que Violette soit de nouveau parachutée au-dessus de la France, dans la nuit du 7 juin, soit 40 heures après que les débarquements du jour J eurent commencé en Normandie. Les combattants du maquis rencontrés au sud-ouest de Limoges n'étant pas aussi bien organisés qu'elle l'escomptait, sa mission, qui consistait à aider les résistants à entraver les mouvements des troupes allemandes, allait être plus compliquée qu'elle ne l'avait imaginé. Le 10 juin, elle prit la route à bord d'une automobile en compagnie de deux collègues afin d'aller rencontrer le nouveau dirigeant d'une cellule

La carte d'identité que Violette utilisa en France, sous le nom de Corinne Reine Leroy. La profession indiquée était celle de « secrétaire commerciale ». Chez elle, en Angleterre, elle prétendait travailler pour le FANY (First Aid Nursing Yeomanry), un organisme que les agents féminins de la SOE utilisaient comme couverture.

locale de la Résistance. Violette décida de cacher un pistolet-mitrailleur dans son sac à main.

Alors qu'ils approchaient du petit village de Salon-la-Tour, ils tombèrent sur un barrage routier, en fait une embuscade tendue par une patrouille allemande qui recherchait un officier disparu. Sachant qu'ils ne réussiraient pas à passer le barrage, car les armes qu'ils transportaient seraient vite découvertes, ils sortirent du véhicule en ouvrant le feu. Ils essayèrent ensuite de s'échapper à travers un champ de blé, mais, lorsque sa cheville fragile céda sous son poids, Violette sut qu'elle n'y arriverait pas. Elle incita ses compagnons à aller de l'avant, en retenant leurs poursuivants durant 20 minutes, c'est-à-dire jusqu'à ce qu'elle n'ait plus de munitions. C'est alors qu'elle fut arrêtée. Sa haine était si virulente qu'elle cracha au visage d'un officier allemand lorsque celui-ci lui offrit une cigarette.

LES ESPIONNES

Des femmes remarquables ont travaillé comme espionnes pour la SOE, entre autres Virginia Hall, une agente américaine qui réussit à échapper aux Allemands en traversant les Pyrénées à pied, en dépit de sa jambe artificielle; Nancy Wake, une agente néo-zélandaise portant le nom de code « Souris blanche » qui, selon les dires, aurait tué un soldat allemand à mains nues; Krystyna Skarbek, une Polonaise qui accomplit de nombreuses missions en Pologne, en Hongrie, en France et en Égypte et qui, en 1944, convainquit un officier de la Gestapo d'épargner deux autres agents de la SOE qui allaient être exécutés; et Odette Sansom, qui fut torturée et condamnée à mort après avoir été capturée par les Allemands, mais qui parvint à échapper à l'exécution en affirmant qu'elle était mariée à un des neveux de Winston Churchill. Toutes ces femmes survécurent au conflit mondial, mais sur les 39 agentes de la SOE envoyées en France durant la guerre, 13 furent arrêtées par la Gestapo et ne revinrent jamais.

Violette, qui était d'un caractère extrêmement déterminé, avait pour ambition de venger la mort d'Étienne.

Violette fut transférée au quartier général de la Gestapo, à Limoges puis à Paris, où, selon des rapports, elle fut torturée durant les interrogatoires, sans pour autant livrer le moindre nom à l'ennemi – pas même le sien. À la fin août, elle embarqua dans un train qui la conduisit au camp de concentration de Ravensbrück en Allemagne, puis dans un camp de travail à Königsberg, où elle eut pour tâche d'élaguer les arbres et de creuser le sol. C'était un travail éprouvant, qui devint encore plus difficile lorsque les premières neiges se mirent à tomber. Les prisonniers subsistaient sur des rations de misère, sans aucun feu pour se réchauffer et sans vêtements adéquats. Violette, qui s'était fait beaucoup d'amis au camp, fit de son mieux pour élever le moral de ses compagnons d'infortune. Elle conçut aussi plusieurs plans d'évasion, mais, avant qu'elle ait pu en mettre un en œuvre, elle fut informée, le 19 ou le 20 janvier, qu'elle retournait au camp de Ravensbrück en compagnie de deux prisonnières de la SOE, Denise Bloch et Lilian Rolfe.

Les trois femmes n'eurent droit à aucune explication. Les Allemands se contentèrent de leur donner des vêtements propres, du savon et un peigne. Violette salua et embrassa les amis qu'elle laissait derrière elle et, dès son arrivée à Ravensbrück, elle fut placée dans un cachot disciplinaire. Un soir, quelques jours après leur arrivée, les trois femmes furent extraites de leurs cellules et informées que la direction des services de contre-espionnage avait ordonné leur exécution. Ensuite, elles furent forcées de s'agenouiller avant d'être abattues l'une après l'autre d'une balle dans la nuque. Ces trois femmes, qui allaient au-devant d'une mort certaine, firent preuve d'un tel courage que même les Allemands qui assistaient à cette exécution sommaire furent émus. Violette, qui était âgée seulement de vingt-trois ans, était la plus jeune.

Le crématorium du camp de concentration de Ravensbrück. Les cendres des prisonniers étaient déversées à proximité, dans le lac de Schwedtsee.

Le couple le plus décoré de la guerre

Violette n'en fut jamais informée, mais, en septembre 1944, alors qu'elle était détenue à Ravensbrück, elle reçut la Croix de guerre française pour l'héroïsme qu'elle avait manifesté sous le feu ennemi en résistant aux troupes allemandes, permettant à deux de ses collègues de s'échapper. En décembre 1946, elle reçut aussi la Croix de Georges (GC, « George Cross ») à titre posthume, une des décorations militaires les plus prestigieuses de Grande-Bretagne, lors d'une cérémonie organisée au palais de Buckingham, où sa fille Tania, entourée de ses grands-parents, accepta la médaille qui lui fut remise par le roi George VI. Le père de Tania, Étienne, fut lui aussi décoré de la Légion d'honneur, de la Médaille militaire et de la Croix de guerre avec palme et étoile. Le poids de toutes les médailles que ses parents reçurent était tel que sa grand-mère dût concevoir une sangle de cou pour que la petite Tania puisse les accrocher. Au début des années 1950, M. et Mᵐᵉ Bushell émigrèrent en Australie en compagnie de leur petite-fille.

Violette était devenue espionne pour venger la mort d'un mari avec qui elle n'avait passé que deux semaines de sa vie, une décision qui peut sembler impétueuse et irresponsable. Mais son amour pour Étienne – et celui qu'il ressentait pour elle – fut incroyablement intense. Le soir avant son arrestation, elle alla se promener avec un collègue de la Résistance. Après avoir échangé des banalités, elle lui confia que dans la vie tout est question de chance, et qu'il faut saisir toutes les opportunités qui se présentent. Elle ajouta aussi qu'elle avait fait en sorte que sa vie soit utile et lui permette de changer les choses. Il va sans dire que sa vie et celle de son mari ont atteint précisément cet objectif-là.

> *... elle avait fait en sorte que sa vie soit utile et lui permette de changer les choses.*

Tania, la fille de Violette et d'Étienne, arborant toutes les médailles de guerre méritées par ses parents.

Carte de la rivière Tobique
et du fleuve Saint-Jean.

Charley et Jean
Paul

CARTE D'IDENTITÉ

CHARLEY PAUL
NOM

CANADIENNE
NATIONALITÉ

10 AOÛT 1922
DATE DE NAISSANCE

SOLDAT
FONCTION

RÉGIMENT CARLETON & YORK
AFFECTATION

JEAN MARIE KEEGAN
NOM

BRITANNIQUE
NATIONALITÉ

20 JANVIER 1926
DATE DE NAISSANCE

Charley s'engagea en
septembre 1939, dès que
le Canada entra en guerre.

Le drapeau du Régiment Carleton & York, du Nouveau-Brunswick. Le coût de la guerre fut lourd pour le Canada. Sur un total de 1,1 million de soldats, il y eut 42 042 tués et 54 414 blessés.

Charley savait enjoliver la réalité. Quand il tomba amoureux de Jean, il traça un portrait si élogieux de son pays qu'elle eut l'impression qu'il y vivait comme un prince. Mais lorsqu'elle arriva au Canada, au terme d'un long voyage en bateau, en train et en canot, elle découvrit que la vaste famille de son mari vivait à l'étroit dans une petite cabane en bois.

C harley était un Indien malécite, qui avait grandi au Nouveau-Brunswick dans une réserve de la Première Nation tobique, en un lieu pittoresque situé au croisement de la rivière Tobique et du fleuve Saint-Jean. Les parents de Charley et leurs sept enfants vivaient dans une petite cabane, sans électricité et eau courante. Ils vivaient de la terre et de subventions occasionnelles du gouvernement fédéral, et les enfants furent éduqués par des religieuses dans un couvent proche de la réserve. Celle-ci offrant peu de perspectives d'avenir à un jeune homme ambitieux, Charley s'engagea en septembre 1939, dès que le Canada entra en guerre. Pour être incorporé dans l'armée, il dut mentir sur son âge – il n'avait que 17 ans. Il fut affecté au Régiment Carleton & York, une unité de la milice du Nouveau-Brunswick. Le 1er décembre, il fut envoyé en Grande-Bretagne pour y suivre un entraînement intensif.

Charley était basé près de Coulsdon, dans le Surrey. Durant leurs permissions, Charley et ses amis se rendaient dans les pubs des environs, tels que le Midday Sun, ou allaient danser dans une salle de l'hôpital psychiatrique de Cane Hill, aménagée à cet effet. Ce fut lors d'une de ces soirées dansantes, en 1942, que Charley remarqua une jolie rousse qui dansait avec l'un de ses amis. Entre deux danses, il vint les rejoindre et il déploya un tel charme que l'ami en question fut vite oublié. Cette jeune fille s'appelait Jean; elle venait tout juste d'avoir 16 ans, soit quatre ans de moins que Charley. Elle lui présenta sa mère, qui l'avait accompagnée à cette soirée. Charley lui demanda s'il pourrait revoir Jean à sa prochaine permission. Comme il lui faisait fort bonne impression, la réponse fut oui.

Les deux sœurs cadettes de Jean, Kathy et Mary, avaient été évacuées vers Leeds alors que sa sœur aînée, Pat, travaillait pour le Corps auxiliaire féminin du Corps d'aviation royal (WAAF) dans une base de la Royal Air Force, située à Kenley au sud de Londres, et que leur père avait été incorporé dans le Régiment King's Own à Formby dans le Lancashire.

Charley (à gauche) en compagnie de deux de ses amis; durant leurs permissions, ils aimaient rencontrer les gens du coin.

Jean et sa mère se retrouvaient donc toutes les deux seules. La mère aimait bien Charley, qui était d'un caractère facile; en conséquence, elle ne s'opposa pas à ce qu'il revoie sa fille. Cette dernière fut vite emportée par ses sentiments, car Charley était un homme très romantique, qui la couvrait de cadeaux et lui chantait des chansons d'amour. Mais, en janvier 1943, il devint évident qu'ils ne s'étaient pas contentés d'échanger de prudes baisers. Jean était enceinte et tout excitée à l'idée de donner la vie. Toutefois, ses parents n'étaient pas contents et elle dut subir le long sermon du père Tindal, qui officiait à l'église Saint-Aidan. Charley était lui aussi enchanté, car il était follement amoureux de Jean et, dès qu'il apprit la nouvelle, il la demanda en mariage. La cérémonie eut lieu le 20 avril. Ce jour-là, Jean portait une étole de fourrure de sa mère. Mais en juillet 1943, le régiment de Charley fut envoyé en mer Méditerranée pour participer à l'invasion de la Sicile. Jean était enceinte de sept mois.

Du Surrey au fleuve Saint-Jean

Le 9 septembre 1943, Jean donna naissance à une fille qu'elle prénomma Christine. Une amie de la famille, qui s'était penchée sur le berceau pour observer le bébé, s'écria: «Oh, mais elle est blanche!» Pat, la sœur aînée de Jean, fut très surprise par cette réaction, car les membres de sa famille avaient toujours considéré que Charley était un Blanc. Coulsdon

Le 23 octobre 1943, les fantassins du Régiment Carleton & York investissent Campochiaro, en Italie. Les Allemands avaient abandonné la ville devant l'avancée des troupes canadiennes, mais des tireurs d'élite avaient été laissés sur place pour retarder la progression des forces alliées.

LES PEUPLES AUTOCHTONES ET LA GUERRE

Environ 3 000 Amérindiens du Canada se portèrent volontaires pour intégrer les rangs de l'armée, dont 72 femmes. Comme Charley Paul, ils voyaient là une opportunité de progresser sur le plan économique et de découvrir le monde. Cela a dû être une expérience particulièrement inoubliable pour ceux qui, comme Charley, n'avaient jamais visité une ville avant ou même utilisé des moyens de transport. Environ 44 000 Amérindiens des États-Unis s'engagèrent dans l'armée de leur pays, un pourcentage plus élevé que celui de tout autre groupe de population. À la différence des Afro-Américains qui subirent la ségrégation, ils servirent aux côtés de soldats blancs.

Trois Amérindiennes du Corps des marines américain au camp Lejeune en Caroline du Nord, le 16 octobre 1943.

Les Aborigènes australiens ne furent pas autorisés à s'engager dans l'armée de leur pays, car le gouvernement redoutait que la cohabitation avec des soldats blancs ne crée des frictions, mais nombreux furent ceux qui mentirent sur leurs origines pour rejoindre les rangs de l'armée; on estime leur nombre à 3 000. Tous ceux qui survécurent à la guerre reçurent des pensions et bénéficièrent de prestations éducatives. Au retour, de nombreux Aborigènes décidèrent de ne pas retourner dans leurs réserves, ce qui perturba beaucoup leurs communautés.

Le lieutenant Ernest Childers, membre de la Première Nation creek, reçoit la médaille d'honneur du Congrès en Italie, le 13 juillet 1944.

étant parfois la cible des bombardements allemands, Jean partit s'installer avec son bébé à Liverpool, où elle vécut chez une de ses tantes en attendant le retour de son mari.

Incorporé à la 8e Armée britannique, le Régiment Carleton & York passa les mois de juillet et d'août à combattre pour s'emparer de la Sicile, où les forces alliées bénéficièrent souvent du soutien actif de la mafia locale, qui haïssait Mussolini. En septembre, le régiment de Charley fit partie des premiers bataillons qui se lancèrent à l'assaut de la péninsule italienne alors qu'ils faisaient face à une forte opposition des troupes allemandes qui avaient pour mission de les contenir dans le sud.

Hormis les combats qui faisaient rage, Charley devait livrer une autre bataille, d'une nature plus personnelle : il avait contracté la malaria, ce qui faillit lui coûter la vie. Il fut donc rapatrié d'urgence en Grande-Bretagne et, alors qu'il récupérait à l'hôpital, il reçut un diagnostic d'arthrite du cou et du dos, qui lui causait de terribles douleurs dans le haut du corps.

Comme il ne pouvait plus marcher, il fut astreint à un traitement intensif. Durant cette période de réhabilitation qui dura plusieurs mois, Jean ne put lui rendre visite qu'une seule fois pour lui présenter sa fille, avant qu'il soit jugé apte à rejoindre son régiment, qui désormais progressait rapidement à travers la péninsule italienne.

Au printemps 1945, lorsque la victoire en Italie fut définitivement acquise, le régiment Carleton & York fut affecté en Hollande où il participa à une brève campagne contre les armées allemandes qui battaient en retraite. Durant l'automne, Charley fut rapatrié au Canada où il reçut l'assurance que Jean pourrait bientôt le rejoindre.

> *On l'informa que le Canada n'était pas le pays de cocagne qu'elle imaginait.*

Le Bureau des épouses canadiennes aidait les épouses de guerre à rejoindre leurs maris. Jean se rendit à leurs bureaux de Regent Street à Londres pour savoir quand elle pourrait partir au Canada.

Elle fut surprise lorsque ses interlocuteurs tentèrent de l'en dissuader. On l'informa que le Canada n'était pas le pays de cocagne qu'elle imaginait ; certes, les Nord-Américains jouissaient de tout le confort moderne, dont des machines à laver, mais la réserve où Charley vivait était, selon eux, misérable et perdue au milieu de nulle part. Leurs arguments ne pesèrent pas bien lourd, car Jean était une femme très éprise, au caractère bien trempé, qui n'avait qu'une idée en tête : rejoindre au plus vite son mari au Canada.

Le 14 mai 1946, en compagnie de centaines d'autres épouses de guerre, Jean, alors âgée de 20 ans, et sa fille Christine, âgée de deux ans et demi, embarquèrent à bord du SS *Aquitania*, qui accosta le 21 mai au quai 21 à Halifax. De là, elles prirent le train jusqu'à la ville de McAdam au Nouveau-Brunswick, où Charley les attendait. Bien que leur joie fût immense, leur voyage était loin d'être terminé. En compagnie d'un prêtre catholique, tous trois prirent ensuite place à bord d'un canot; tandis que les hommes pagayaient en direction de la réserve des Indiens Tobique, Jean serrait sa fille dans ses bras en admirant le paysage somptueux qui se déployait sous ses yeux.

À leur arrivée, ils furent accueillis par la famille de Charley et par des gens des environs, curieux de découvrir cette femme blanche venue de si loin pour vivre avec eux. Ils parcoururent à pied la courte distance qui séparait la rivière de la cabane que Charley partageait avec ses grands-parents, ses parents et ses frères et sœurs.

En cet instant, Jean prit conscience de tout ce qu'elle avait laissé derrière elle. Leur «chambre» n'occupait qu'un coin de la cabane, avec un simple rideau tiré pour préserver leur intimité. Les occupants devaient utiliser une bécosse (toilette extérieure). De plus, il n'y avait pas d'électricité et l'eau devait être tirée d'un puits. Cette baraque était bien différente de la vaste maison en terrasse où elle avait grandi. Mais, forte de son amour pour Charley, Jean voulait vivre là où il vivait; elle ferait ce qu'il fallait pour que ça marche.

Avant d'être utilisé pour transporter les épouses de guerre, le SS Aquitania fut affecté au transport des troupes durant les deux guerres mondiales.

La réserve des Indiens malécites, où Charley avait grandi, était située à l'intersection de la rivière Tobique et du fleuve Saint-Jean.

Vivre sur une réserve

Un des premiers problèmes auxquels Jean fut confrontée fut que tous ceux qui l'entouraient s'exprimaient en langue malécite. Imperturbable, elle demanda à Charley de lui enseigner les rudiments de sa langue. Après avoir appris quelques mots par jour durant des semaines, elle fut vite capable de communiquer. Et bientôt elle s'exprima couramment en malécite. En épousant Charley, elle était légalement devenue une «Indienne inscrite», mais elle dut faire face à l'hostilité des autres femmes de la réserve qui étaient jalouses qu'elle ait épousé un de leurs hommes et qui se moquaient d'elle en l'appelant «femme blanche». Mais Jean était bien décidée à se fondre dans la culture malécite plutôt que de chercher à imposer ses coutumes britanniques, ce qui lui permit de gagner peu à peu le respect de tous.

Pourtant, la vie sur la réserve était difficile. Pour l'essentiel, ils vivaient de la terre et du maigre pécule que Charley pouvait gagner en sa qualité de guide de pêche sur la rivière, l'été, et de guide de chasse à l'automne. Parfois, un agent du gouvernement fédéral leur donnait un baril de farine ou quelques restes de rations de l'armée, mais ils connurent souvent la faim. À la fin de l'été, ils traversaient la frontière toute proche des États-Unis, où ils gagnaient un salaire de misère à récolter des pommes de terre, un travail exigeant pour les mains et le dos. Lorsque le premier hiver arriva, Jean fut surprise par le froid glacial qui s'abattait sur cette partie du pays, alors qu'une épaisse couche de neige recouvrait le sol durant quatre mois et que le bois de chauffage était la seule source de chaleur de leur cabane. Pourtant, l'amour qu'elle éprouvait pour Charley lui permit de garder le cap. Quand il saisissait sa guitare et chantait pour elle le soir, ou quand il lui ramenait un bouquet de fleurs sauvages, il n'y avait aucun autre endroit dans le monde où elle aurait préféré vivre.

La réserve des Indiens Tobique fut établie en 1801. La maison de Jean et de Charley était située à proximité de la rivière.

Charley et Jean eurent d'autres enfants : Stewart, Nick, Cindy, Lindsay et Pamela. Jean donna naissance à ses enfants dans un couvent tenu par des religieuses – il n'y avait aucun médecin à des kilomètres à la ronde – ce qui constitua sans doute une expérience terrifiante, du moins la première fois. Sa mère et sa sœur Mary, qui étaient venues l'épauler après la naissance de Lindsay, furent choquées par les conditions matérielles dans lesquelles elle vivait. Dans les lettres qu'elle envoyait en Angleterre, Jean ne s'était jamais plainte ; elles n'avaient donc aucune idée de ce qui les attendait.

Le quotidien de Jean et Charley s'améliora lorsque ce dernier commença à recevoir sa pension de l'armée, mais leur vie était une lutte permanente. En 1956, Kathy, sa plus jeune sœur, qui avait épousé un Américain, posa ses valises dans l'État du Maine, à cinq heures de route de la réserve. Jean fut enchantée qu'un membre de sa famille vienne s'installer si près d'elle. Graduellement, leurs conditions de vie s'améliorèrent et, en 1962, ils étaient parvenus à économiser suffisamment d'argent

Jean et Charley en 1948 (en haut).

Kathy, la sœur de Jean, avec Christine (au centre).

Jean et Charley avec des amis dans les années 1960 ; à cette époque, Jean avait déjà sa maison en bois de deux étages.

pour construire une maison en bois de deux étages, leur toute première maison. Lorsque le grand-père de Jean mourut, il lui légua un petit héritage qu'elle utilisa pour équiper sa maison d'une baignoire et de l'eau courante – la commodité moderne qui jusqu'alors lui avait le plus manqué. Les enfants allèrent à l'école du couvent et la famille participait à toutes les festivités malécites : le Festival du saumon, le Festival des têtes de violon, la Journée nationale des Autochtones ainsi que les pow-wow qui se tenaient l'été et qui réunissaient des Amérindiens accourus des régions les plus reculées.

En 1963, Jean retourna en Angleterre voir sa famille, pour la première fois depuis 17 ans. Sa sœur Mary ne la reconnut pas à l'aéroport, mais ce fut néanmoins une réunion familiale très émouvante. À la fin des années 1960, Charley eut l'honneur de se voir attribuer le titre de chef de la Première Nation tobique, une fonction importante qui consistait à représenter les intérêts du peuple malécite lors des négociations avec le gouvernement fédéral. Charley joua un rôle clé dans la création d'une union rassemblant les Indiens micmacs et malécites du Nouveau-Brunswick, donnant ainsi à ce regroupement un plus grand pouvoir de négociation auprès des autorités fédérales. Il organisa même la visite d'une délégation de chefs micmacs et malécites à Londres. Comme les réunions du conseil tribal se tenaient dans la ville de Fredericton, Jean et Charley s'y installèrent en 1971. Se retrouver soudain dans une ville avec le téléphone, des routes asphaltées et un système de collecte des déchets constitua, pour eux, un véritable choc culturel, mais ils n'eurent aucun regret, car l'arthrite de Charley, qui avait été diagnostiquée durant la guerre, s'était aggravée. En conséquence, vivre de la terre devenait de plus en plus difficile.

L'AMOUR PAR-DELÀ LES CONTINENTS

De nombreuses femmes européennes et asiatiques souhaitaient ardemment épouser des Américains, car les États-Unis étaient considérés comme un pays riche et prospère, susceptible de leur offrir un niveau de vie élevé. Le Canada était perçu de la même manière. La plupart des mariages furent contractés avec des femmes issues de pays où les soldats canadiens et américains avaient été stationnés durant de longues périodes. Environ 100 000 femmes britanniques épousèrent des Américains et 44 886, des Canadiens, qui s'étaient installés en Grande-Bretagne dès la fin de l'année 1939. Au total, 1 886 Canadiens épousèrent des Néerlandaises, 649 des Belges et 100 des Françaises, mais seulement 26 d'entre eux épousèrent des Italiennes, ce qui reflète les durs combats qui s'étaient déroulés en Italie, prohibant bien des histoires d'amour potentielles, ainsi que la farouche moralité catholique qui incitait les Italiennes à se méfier des mésalliances possibles avec ces fougueux étrangers. Plus de 20 000 Américains épousèrent des Allemandes, rencontrées après la guerre durant l'occupation du pays, 15 000 épousèrent des Australiennes, alors qu'ils étaient stationnés en Australie, plus de 51 000 épousèrent des femmes originaires des Philippines et 758 épousèrent des Japonaises.

Une réunion de la vaste famille Paul en 1977. Jean est près du centre dans une robe à motifs tandis que Charley se tient à ses côtés.

En 1986, quand la reine Elizabeth II visita le Canada en compagnie du prince Philip, Jean et Charley étaient devenus si célèbres dans leur province qu'ils furent assis près du couple royal lors du gala officiel. Ultérieurement, Charley obtint un doctorat de l'Université de Fredericton, ce qui l'autorisa à utiliser, avant son nom, le titre de «docteur» ou l'abréviation «Dr». En 1991, à l'âge de 64 ans, Jean reçut un diagnostic de cancer. Ses trois sœurs vinrent la visiter à Noël, mais le cancer avait progressé si rapidement qu'elle mourut au début de l'année suivante. Tous les chefs des Premières Nations de la région assistèrent à ses funérailles, démontrant ainsi le respect qu'elle avait su leur inspirer au fil des ans.

... elle aurait vécu n'importe où, à la condition expresse que ce soit avec Charley.

Jean s'était fait de nombreux amis au sein de la nation malécite – mais son meilleur ami et le grand amour de sa vie fut jusqu'à son dernier souffle l'homme qu'elle avait rencontré lors d'une soirée dansante dans le Surrey, alors qu'elle était âgée de 16 ans. Pour elle, il n'y eut jamais personne d'autre et elle ne regretta pas une seule seconde d'avoir abandonné les privilèges de la classe moyenne des banlieues britanniques pour vivre avec lui sur une réserve amérindienne. De toute façon, elle aurait vécu n'importe où, à la condition expresse que ce soit avec Charley.

En 1986, Charley arborant ses médailles et décorations de guerre alors que Jean porte des gants en dentelle et un chapeau noir pour assister au repas, donné en l'honneur de la reine.

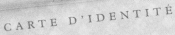

DWIGHT D. «IKE» EISENHOWER
NOM

AMÉRICAINE
NATIONALITÉ

14 OCTOBRE 1890
DOB

COMMANDANT EN CHEF
FONCTION

FORCES EXPÉDITIONNAIRES ALLIÉES
AFFECTATION

KATHLEEN «KAY» HELEN MACCARTHY-MORROGH
NOM

IRLANDAISE
NATIONALITÉ

(DATE INCERTAINE) 1908
DATE DE NAISSANCE

PREMIER LIEUTENANT
FONCTION

SERVICE FÉMININ DE L'ARMÉE AMÉRICAINE
AFFECTATION

Dwight D. Eisenhower et Kay Summersby

KATHLEEN

U.S. 6c POSTAGE

DWIGHT D.
EISENHOWER

EISENHOWER · USA

6c

Le 1ᵉʳ février 1945, Eisenhower arborant ses médailles de guerre et ses cinq étoiles de général, une distinction qui lui fut conférée lorsqu'il fut promu « General of the Army ».

Dwight D. Eisenhower fut basé à Londres durant trois ans avec le grade de major général, tandis que son épouse, Mamie, l'attendait à Washington, de l'autre côté de l'Atlantique. Mais il n'était pas aussi seul que d'aucuns l'imaginaient, car une charmante jeune femme, Kay Summersby, était à ses côtés en qualité de chauffeur, de secrétaire, de confidente et même de maîtresse, si l'on se fie aux rumeurs.

Kay, une aristocrate irlandaise née à Cork, s'était installée à Londres à la fin de l'adolescence pour y suivre les cours d'une école de commerce où elle s'ennuya très vite. Lorsqu'on lui offrit de tourner dans un film comme figurante, elle bondit sur l'occasion, ce qui lui permit ensuite de devenir mannequin chez Worth, une maison de haute couture parisienne. Quand la guerre fut déclarée en 1939, elle avait déjà été mariée et divorcée; elle garda pourtant le nom de son mari, Summersby, lorsqu'elle se porta volontaire auprès du Corps britannique des transports motorisés. Durant le blitz, elle conduisit avec brio et courage des ambulances, ce qui lui valut la réputation de toujours parvenir à retrouver son chemin en dépit des rues mal éclairées, naviguant sans relâche au milieu des immeubles qui brûlaient ou s'effondraient, afin de transporter les vivants à l'hôpital et les morts à la morgue. En mai 1941, elle rencontra Dick Arnold, un capitaine de l'Armée américaine qui était en pleine procédure de divorce avec son épouse américaine et, quelques mois plus tard, ils se fiancèrent.

Un jour, en mai 1942, elle reçut l'ordre de conduire la voiture de fonction d'un général américain, Dwight D. Eisenhower. Au début, elle fut vexée de ne pas se voir attribuer un homme plus haut placé, mais très vite elle sut apprécier Ike, ainsi qu'Eisenhower était surnommé, et, durant ses permissions, elle lui faisait visiter Londres et la campagne environnante. Même s'ils l'avaient voulu, ils n'auraient pas pu être plus différents l'un de l'autre. Ike, qui avait 18 ans de plus qu'elle, était issu d'une famille modeste du Kansas et avait travaillé dans une laiterie avant d'entrer à l'Académie militaire de West Point; par ailleurs, il avait une femme et un fils aux États-Unis. Kay, qui avait alors 34 ans, était une femme brillante et élégante, malgré son uniforme disgracieux et sa casquette de chauffeur. Ils avaient néanmoins de nombreux points en commun: ils aimaient l'équitation, le golf et le bridge; de plus, ils partageaient une intelligence aiguë et ils étaient tous deux d'une discrétion absolue.

Kay Summersby ajustant le drapeau américain sur le capot de la voiture d'Eisenhower.

Telegraph Cottage

Eisenhower, qui n'avait aucun goût pour les mondanités, voulait trouver un lieu isolé où il pourrait se détendre après son travail. Il décida de s'installer à Telegraph Cottage, une maison de cinq chambres, située à Kingston, au sud-ouest de Londres, sur un chemin privé, éloigné de la route principale. Dans ses moments de loisir, il lui suffisait d'ouvrir la porte au fond de son jardin pour se retrouver sur le 13ᵉ trou d'un terrain de golf, où il pouvait pratiquer ses coups. Pour Eisenhower, Telegraph Cottage fut durant trois ans un havre de paix. Il y vivait en compagnie d'une gouvernante irlandaise de New York, Micky McKeogh, et d'un valet afro-américain, John Moaney. Kay le convainquit d'adopter un chiot, un terrier noir qu'il baptisa Telek, une contraction des mots Telegraph et Kay. Dès son arrivée à Londres, Eisenhower avait écrit à sa femme, Mamie, pour lui confier qu'il menait «une vie plutôt solitaire» et que la «compagnie féminine» lui manquait. Il était alors chargé de la planification de l'opération *Torch*, soit l'invasion alliée de l'Afrique du Nord. Pour ce faire, il devait s'immerger dans la gestion de la logistique de cette campagne ainsi que dans la résolution des désaccords qui opposaient inévitablement ses généraux. La pression était telle qu'il commença à se confier à Kay lors de leurs déplacements, car il savait qu'il pouvait lui parler en toute liberté, ce qu'il ne pouvait faire avec personne d'autre. «Les gens veulent tous être promus. Et si je parle à la mauvaise personne, tout ce que je dis sera rapporté aux quatre coins de la planète. Mais, avec toi, je sais que je peux exprimer librement mes pensées», lui avoua-t-il, si l'on se fie à l'ouvrage qu'elle publia à la fin de sa vie.

Un pique-nique tranquille. En 1943, Eisenhower savoure une ration de soldat au bord d'une route en Tunisie.

Le 8 novembre 1942, les forces américaines débarquèrent à Casablanca pour tenter de repousser les forces allemandes présentes en Afrique du Nord. Dick, le fiancé de Kay, faisait partie de ces troupes. Ike demanda à Kay de l'accompagner lorsqu'il se rendrait en Afrique du Nord pour superviser la campagne, ce qu'elle accepta aussitôt. Cependant, en décembre 1942, le bateau qui la transportait, le SS *Strathallan*, fut frappé par une torpille et coula. Kay, qui avait eu la chance de pouvoir embarquer in extremis dans un canot de sauvetage, perdit tous ses effets personnels lors du naufrage. Le matin suivant, en état de choc, elle fut secourue par un bateau allié naviguant à proximité et conduite à Oran, en Algérie, où elle retrouva Dick, son fiancé. Ils se jetèrent dans les bras l'un de l'autre et convinrent de se marier en Afrique du Nord, dès que la situation le permettrait. Mais ils passèrent peu de temps ensemble, car Kay reçut l'ordre de rejoindre le plus rapidement possible le quartier général d'Eisenhower à Alger.

Elle reprit donc ses fonctions de chauffeur, consciente que les forces de l'Axe étaient proches, ce que confirmaient les rafales de mitraillette provenant des avions ennemis qui survolaient Alger. En juin 1943, Ike convoqua Kay dans son bureau où il lui apprit la triste nouvelle : Dick avait été tué par une mine. Elle éclata en sanglots dans les bras du général qui la consola en lui déclarant que la seule manière de faire face à un tel chagrin était de rester la plus active possible. En fait, après avoir surmonté le choc initial, elle se rendit compte qu'elle ne connaissait pas vraiment Dick. Certes, ils avaient vécu une histoire d'amour intense, comme souvent en temps de guerre, et chacune de leurs rencontres avait été aussi excitante qu'un premier rendez-vous. Mais elle ne saurait jamais ce à quoi leur vie aurait ressemblé si Dick avait survécu.

« ... avec toi, je sais que je peux exprimer librement mes pensées. »

En février 1944, Kay et Ike retournèrent à Londres, où il fut chargé de planifier le débarquement du jour J en Normandie.

PATTON ET MONTY

Le général américain, George S. Patton, qui était un homme dur et énergique, justifia bien son surnom de « Old Blood and Guts » (« vieux sang et tripes ») lorsqu'il visita un hôpital militaire à Nicosie sur l'île de Chypre. Ce jour-là, il gifla un soldat alité, souffrant de stress post-traumatique, et le traita de lâche. Certains officiers exigèrent qu'il soit sévèrement sanctionné, mais Eisenhower, qui le tenait en haute estime, lui demanda simplement de présenter ses excuses. Le maréchal britannique, Bernard Montgomery (« Monty »), était auréolé par sa victoire décisive à El Alamein, lorsqu'il reçut pour mission de collaborer avec les généraux américains Patton et Bradley pour l'invasion de la Sicile. Monty jugeait les officiers américains désorganisés et peu soucieux de la sécurité des troupes alors que les autres le jugeaient trop prudent et trop autoritaire. Les désaccords entre les forces britanniques et américaines devinrent plus évidents encore après le débarquement de Normandie, lorsque les Américains voulurent progresser plus rapidement que Monty le souhaitait; durant l'hiver 1944-1945, lorsque la 3e Armée de Patton perça les lignes de défense des forces allemandes, alors que Montgomery favorisait une stratégie plus mesurée; et à la fin de la guerre, lorsque Monty voulait à tout prix prendre Berlin avant l'Armée rouge, une option qui ne fut pas retenue par Eisenhower. Monty critiqua souvent Eisenhower à qui il reprochait, entre autres, d'offrir un meilleur traitement aux troupes américaines qu'aux forces britanniques.

Old Blood and Guts
(« vieux sang et tripes »),
le général George S. Patton,
en mars 1943.

« Le général spartiate ».
Le maréchal Montgomery
en Afrique du Nord en
novembre 1942. Bien
que les Américains aient
reconnu les qualités de
Montgomery, ils eurent du
mal à travailler avec lui en
raison de sa personnalité
et de ses méthodes.

Ike fut chargé du commandement général de l'invasion alliée de la Sicile en juillet 1943, puis de l'invasion de la péninsule italienne en septembre. Il dut aussi assumer le rôle de médiateur entre le général Patton et le général Montgomery qui s'opposaient farouchement. Pour Ike, ce fut une intense période de stress; Kay affirma qu'un jour, il lui avait saisi la main en lui déclarant avec passion à quel point elle était spéciale à ses yeux. Lorsqu'elle lui répondit qu'elle partageait le même sentiment, ils s'embrassèrent pour la première fois. Par la suite, Ike fit preuve d'une certaine prudence et lui présenta même ses excuses. Il reconnut qu'il ne voulait pas la blesser, mais il lui avoua aussi qu'il avait pris conscience des sentiments qu'il éprouvait durant la nuit où le SS *Strathallan* avait été coulé. Cette nuit-là, il n'avait pu fermer l'œil et avait attendu avec anxiété jusqu'à ce qu'il apprenne qu'elle était saine et sauve. Tandis que les dignitaires des puissances alliées allaient et venaient à Alger – Churchill fut invité à un dîner officiel et Roosevelt participa à un pique-nique –, Kay et Ike profitaient de chaque moment d'intimité pour s'embrasser, se cajoler, se serrer l'un contre l'autre et se tenir la main. Il lui parlait rarement de sa femme, Mamie, mais il lui confessa que, lors d'une visite récente aux États-Unis, il n'avait cessé de l'appeler Kay, car il pensait sans cesse à elle, ce qui confirmait les rumeurs d'infidélité dont son épouse avait eu vent.

En décembre 1943, après qu'il eut été nommé commandant en chef des forces expéditionnaires alliées, Eisenhower se réinstalla à Londres, en compagnie de Kay, pour planifier le débarquement en Normandie. Kay était à ses côtés à Portsmouth lorsqu'il décida de

> *« Les yeux du monde sont braqués sur vous. Les espoirs et les prières de tous les peuples épris de liberté vous accompagnent. »*

Eisenhower prononçant un discours devant des parachutistes, qui s'apprêtaient à décoller pour mener le premier assaut du jour J. «J'ai une confiance absolue en votre courage, votre dévouement et votre compétence dans la bataille. Nous n'accepterons rien de moins que la victoire totale!»

profiter d'une brève accalmie météorologique, les 5 et 6 juin, alors que le mauvais temps sévissait depuis des jours, pour ordonner aux forces alliées de traverser la Manche. À l'aube du jour J, elle l'aida à préparer le fameux discours, destiné à galvaniser ses troupes : «Les yeux du monde sont braqués sur vous. Les espoirs et les prières de tous les peuples épris de liberté vous accompagnent.» Elle était aussi près de lui lorsqu'il reçut les premiers rapports militaires en provenance des plages de Normandie – sans aucun doute, une des nuits les plus éprouvantes de la guerre.

Plans pour le futur

Kay savait bien que, lorsque la guerre serait terminée, Ike serait transféré au Pentagone à Washington. Pour pouvoir l'accompagner, elle devait donc impérativement être acceptée comme membre du Service féminin de l'Armée américaine (WAC, «Women's Army Corps»), et ce, avant même de faire sa demande de citoyenneté américaine. Ike, qui l'avait aidée à remplir sa demande d'incorporation au sein du Service féminin de l'Armée américaine, l'envoya, cet été-là, en mission à Washington où étonnamment elle rencontra brièvement sa femme, Mamie, et fut même accueillie par son fils, John, qui lui fit visiter la ville. Pour la première fois, elle prit conscience que bien des gens se livraient à des commérages malveillants sur la relation qu'elle entretenait avec le général, sous-entendant bien évidemment qu'ils étaient amants. En fait, si l'on se fie à l'ouvrage de Kay intitulé *Past Forgetting* («Oubli du passé»), leur relation ne fut pas consommée, bien qu'ils aient failli succomber en de nombreuses occasions, car Ike était physiquement incapable d'assumer une relation intime. Mamie, qui devait se douter de leur liaison et qui était certainement sensible aux rumeurs, fut très froide avec Kay, mais son fils fut plus hospitalier envers l'étrangère.

De retour à Londres, Kay affirma qu'Eisenhower était plus ardent que jamais à son égard. Certes, ils ne pouvaient se laisser aller à des démonstrations d'affection en public, mais Ike lui passait souvent de petites notes – «Aimerais-tu déjeuner, prendre le thé et dîner avec moi

aujourd'hui?» – et il saisissait toutes les occasions de se retrouver seul avec elle. Un jour, il demanda à Kay si elle aimerait avoir un enfant et, lorsqu'elle lui répondit oui, il lui avoua qu'il aimerait lui donner un fils, si seulement il le pouvait. Il s'estimait trop âgé pour être père à nouveau, mais il lui promit de faire tout ce qui était en son pouvoir pour y parvenir. Elle n'osa pas lui demander si, pour ce faire, il irait jusqu'à quitter Mamie, car c'était bien là l'espoir qu'elle chérissait en secret.

Durant l'hiver 1944-1945, Ike fut promu au rang de général cinq étoiles et Kay fut nommée premier lieutenant au sein du Service féminin de l'Armée américaine. Ensemble, ils voyagèrent en Europe, accompagnant les troupes alliées qui progressaient en territoire allemand. Le 7 mai 1945,

Le 12 avril 1945, Eisenhower inspecte des œuvres d'art volées par les nazis et cachées dans une mine de sel.

Le V de la Victoire. Après la signature de la capitulation allemande, Eisenhower pose, entouré de ses généraux, tandis que Kay sourit à l'arrière-plan.

Kay se trouvait dans une pièce adjacente à celle où Ike accepta la reddition sans condition du général Alfred Jodl, chef de l'état-major allemand, et de l'amiral Hans-Georg von Friedeburg, chef de la Marine de guerre allemande. Après le jour de la Victoire, Kay et Ike prirent des vacances dans le sud de la France, où ils purent enfin se reposer et prendre soin l'un de l'autre. «Lorsque nous sommes ensemble, comme en ce moment, tout semble si parfait. Les choses se mettent en place comme par magie», lui avoua-t-il lors de ce séjour. Après qu'il l'eut aidée à obtenir sa citoyenneté américaine, Kay crut que leur histoire d'amour se poursuivrait à Washington et qu'ils pourraient peut-être avoir cet enfant dont ils avaient parlé. Sans doute s'imaginait-elle aussi qu'il quitterait un jour Mamie, un espoir qu'elle n'osa jamais exprimer par des mots.

Le rejet

Une soirée au théâtre, le 16 mai 1945. John, le fils d'Eisenhower, est assis à l'extrême gauche alors que Kay et Ike sont assis côte à côte.

Le 10 novembre, Ike prit l'avion vers les États-Unis alors que Kay avait déjà son billet pour le rejoindre dix jours plus tard, mais, la veille de son départ, elle reçut un télex de Washington l'informant que son nom avait été supprimé de la liste des passagers. Le 22 novembre, Ike lui envoya une lettre dactylographiée des plus formelles : «Je suis terriblement angoissé, tout particulièrement parce que je ne peux plus te

garder auprès de moi comme membre de mon personnel officiel.» Un mois plus tard, elle reçut la note manuscrite suivante: «La dissolution de mon cabinet de guerre personnel m'a considérablement attristé.» Mais il ne lui donna aucune autre explication.

Dévastée, Kay se rendit néanmoins aux États-Unis où elle usa de tous les artifices possibles pour le rencontrer, mais elle ne put le voir seul en tête à tête et, en public, il se montrait poli, mais distant envers elle. Vingt-huit ans plus tard, lorsque la biographie du président Truman fut publiée, Kay comprit enfin ce qui l'avait fait changer d'avis. Lors de ses conversations avec son biographe, Merle Miller, Truman fit la révélation suivante: «Tout de suite après la guerre, il (Eisenhower) envoya une lettre au général Marshall, où il exprimait son intention de rentrer aux États-Unis et de demander le divorce afin de pouvoir épouser cette Anglaise.» Cette demande lui fut refusée de la façon la plus catégorique par Marshall, qu'Eisenhower avait toujours considéré comme son supérieur, qui lui ordonna alors de ne pas agir ainsi, car c'était une idée absurde qui mettrait un terme non seulement à sa carrière, mais aussi à leur amitié.

Avec le recul, Kay comprit que, pour lui, le devoir passait avant tout. En conséquence, si ses supérieurs lui ordonnaient de ne pas divorcer, il ne divorcerait pas. Elle comprit aussi que s'il devait choisir entre deux options possibles, il opterait toujours pour celle qui «serait la plus bénéfique et qui infligerait le moins de douleur». De plus, Ike était un homme très ambitieux qui avait toujours agi en fonction de ses intérêts. Dans cette optique, il était en effet peu probable qu'un homme divorcé et remarié à une jeune femme, lui ayant servi de chauffeur durant la guerre, puisse devenir un jour le 34e président des États-Unis, ce qui se produisit en 1953.

En dépit de ses déboires, Kay resta en Amérique où elle vécut une histoire d'amour avec un Californien avant d'épouser, en 1952, Reginald Morgan, un agent de change new-yorkais. Lorsqu'elle écrivit à Ike pour l'informer de son mariage, il répondit en lui

Sur cette photographie datant de 1945, Eisenhower est assis au centre, entouré de ses généraux victorieux. Servir son pays fut toujours sa plus grande ambition.

MAMIE EISENHOWER

Mamie, qui avait rencontré Ike lors de vacances au Texas, l'épousa à l'âge de 19 ans. Leur couple dut faire face à une terrible épreuve lorsque leur premier fils mourut de la scarlatine à l'âge de trois ans. Comme Ike était alors basé au Panama, les deux époux vécurent leur chagrin différemment, ce qui les éloigna durablement. En tant que femme d'officier, Mamie devait suivre son mari où qu'il soit affecté. Au total, durant les 37 années suivantes, ils vécurent dans 33 maisons différentes. Mamie retournait souvent aux États-Unis où elle effectuait de longs séjours, ce qui irritait Ike, et, quand elle était à ses côtés à l'étranger, elle s'impliquait dans des projets humanitaires. Lorsque la guerre éclata, elle s'installa dans un hôtel de Washington et durant presque trois ans elle ne vit pas son

Dwight Eisenhower avec sa jeune épouse, Mamie, le jour de leur mariage, le 1er juillet 1916.

mari. Elle était très inquiète pour sa sécurité et profondément perturbée par les rumeurs de sa liaison avec Kay. Cependant, fin 1945, ils furent enfin réunis. Et lorsqu'Eisenhower se présenta à la présidence des États-Unis, elle s'engagea à ses côtés l'aidant souvent à répéter ses discours. En sa qualité de première dame, elle se consacra à accueillir et à divertir les invités qu'elle recevait à la Maison-Blanche. Elle affirmait que la place des femmes était à la maison. Ike la considérait pourtant comme une « observatrice avertie » qui faisait preuve « d'un jugement précieux dans de nombreux domaines ». Lorsque la santé d'Eisenhower se détériora à la suite d'une crise cardiaque, Mamie manifesta un dévouement exemplaire. Elle l'accompagna jusqu'à son dernier souffle.

souhaitant de trouver le bonheur. Plus tard, quand il fut élu président, elle lui envoya une lettre pour le féliciter. Elle ne parla jamais à quiconque de leur histoire d'amour, du moins pas avant l'année 1974 alors qu'elle était atteinte du cancer et que Ike était décédé depuis plusieurs années. Durant les derniers mois de sa vie, elle rédigea un ouvrage intitulé *Past Forgetting* (« Oubli du passé ») où elle évoquait leur amour intense et passionné tout en relatant la vie qu'elle avait partagée avec l'homme qui conduisit les Alliés à la victoire. Certains historiens remirent en cause ses allégations : le général aurait-il réellement pris le risque de compromettre sa position pour une simple histoire d'amour ? Le petit-fils d'Eisenhower, David, déclara ultérieurement « qu'ils étaient les seuls à connaître la vérité, et qu'ils étaient morts tous les deux ». Il semble pourtant indéniable qu'une forte et puissante intimité les unissait durant ces années de guerre – une intimité à laquelle il décida de mettre un terme par sens du devoir envers son pays et par respect envers sa femme.

CARTE D'IDENTITÉ

JOHN DOUGLAS « ROGER »
WILLIAMS
NOM

BRITANNIQUE
NATIONALITÉ

13 OCTOBRE 1921
DATE DE NAISSANCE

CAPITAINE-LIEUTENANT
FONCTION

RÉGIMENT LONDON SCOTTISH /
RÉGIMENT YORK & LANCASTERS
AFFECTATION

ROSEMARIE GERTRUD BRANDT
NOM

ALLEMANDE
NATIONALITÉ

8 JUIN 1924
DATE DE NAISSANCE

Certificat de naissance de Rosemarie.

Roger et Rosemarie
Williams

ROSEMARIE

...ourtsurkunde   **E 1**

...elegen - - - Nr. 86/1924)

...Gertrud B r a n d t, - - -

...

...am 1 Uhr 30 Minuten - - - -

...chnibbe - - - - - - - - geboren.

...ter Walter Brandt, wohnhaft

...schnibbe.

...Brandt, geborene Heidtmann,

...en, Isenschnibbe. - - - -

...

...

...- - -, den 10. März - - - 194

Der Standesbeamte

In Vertretung:

*Rosemarie et Gisi Brandt avec leur père, Wilhelm. Elles vécurent une
enfance bucolique sur le domaine d'Isenschnibbe.*

Une nuit, Rosemarie, qui travaillait comme traductrice à Wolfenbüttel, dans le nord de l'Allemagne, vit un soldat britannique complètement saoul, qui était transporté hors du mess des officiers par ses amis. Elle ne pouvait se douter que son avenir serait bientôt étroitement lié au sien.

Rosemarie et sa sœur aînée Gisi grandirent dans le nord de l'Allemagne, sur le domaine d'Isenschnibbe, situé à trois kilomètres de la ville médiévale de Gardelegen, à 135 kilomètres à l'ouest de Berlin. Leur père, intendant du domaine, avait installé sa famille dans une petite maison de la cour principale. Cet immense domaine possédait sa propre brasserie et sa ligne de chemin de fer, qui servait à acheminer les fournitures et à transporter la bière et les produits de la ferme aux marchés locaux. Quand la guerre éclata, les Brandt eurent plus de chance que la plupart de leurs concitoyens, car ils pouvaient vivre de la terre. Le père de Rosemarie, Wilhelm, n'était pas un partisan d'Hitler, mais comme il occupait une position importante au sein de sa communauté, il eut la sagesse de ne pas exprimer publiquement ses opinions.

Après avoir rejoint les rangs de l'armée de terre, Gisi, qui avait été affectée en Bohême, eut très vite le mal du pays. Pour lui remonter le moral, Rosemarie lui rendit visite à quelques reprises; lors d'un de ses séjours, elle rencontra une famille qui aurait souhaité qu'elle

Rosemarie avant la guerre, à l'extérieur d'un des bâtiments du domaine.

Le 8 juin 1940. Rosemarie, deuxième à partir de la gauche, en compagnie de ses amis dans une prairie d'Isenschnibbe.

MASSACRE DE GARDELEGEN

Entre le 3 et le 5 avril 1945, 4 000 prisonniers du camp de Dora-Mittelbau et des camps de concentration voisins furent entassés dans des trains en direction du nord de l'Allemagne. Des raids aériens alliés ayant endommagé les lignes de chemin de fer, un de ces trains dut s'arrêter à Gardelegen. Tous les officiers SS et les membres de la Jeunesse hitlérienne et de la Milice populaire disponibles furent réquisitionnés pour les surveiller. Le 13 avril, plus de 1 000 prisonniers, considérés trop faibles pour travailler, furent enfermés dans une grange du domaine d'Isenschnibbe. Après que les SS eurent barricadé les portes et imbibé la paille d'essence, la grange fut incendiée et les prisonniers furent brûlés vifs. Les rares qui parvinrent à s'échapper furent abattus par des sentinelles. C'est la 102e Division d'infanterie américaine qui découvrit les restes carbonisés de 1 016 prisonniers. Gerhard Thiele, qui ordonna ce massacre, ne fut jamais arrêté, mais Erhard Brauny, responsable du transport des prisonniers, fut condamné à la prison à vie par une cour martiale américaine.

épouse un de ses fils, mais l'affaire tourna court, car elle n'éprouvait aucune attirance particulière pour cette région ni pour ce prétendant. Lorsqu'elle revenait chez elle, Rosemarie aimait discuter avec les parachutistes stationnés à l'aérodrome de Gardelegen, mais elle n'oubliait pas les garçons du coin, avec lesquels elle avait l'habitude de danser, qui étaient tous partis combattre. Elle termina ses études secondaires, étudia un an dans un collège local, puis elle travailla à la ferme du domaine où ses amis et ses proches attendaient tous avec impatience la fin de la guerre.

En 1945, les Brandt écoutaient les nouvelles à la radio avec une certaine appréhension. L'avancée des Alliés à travers l'Europe semblait inexorable. Comme de nombreuses histoires circulaient sur les pillages et les arrestations de masse pratiqués par l'Armée rouge en Allemagne

Les corps découverts par les troupes américaines dans la grange d'Isenschnibbe, le 14 avril 1945.

de l'Est, ils furent satisfaits que les Américains soient les premiers à investir Gardelegen. Des soldats allemands se cachaient dans les bois dans l'espoir de pouvoir se rendre aux Américains, car ils étaient convaincus que leur sort serait bien meilleur que s'ils étaient capturés par les Russes. Le domaine ayant été victime de pillage et de nombreux cochons ayant été volés, Wilhelm Brandt prit la décision de fermer les portes du domaine et de poster des gardes de sécurité autour du bâtiment principal et de la cour d'honneur.

Le 13 avril 1945, un événement horrible se déroula sur le domaine d'Isenschnibbe : les SS et leurs complices entassèrent plus de 1 000 prisonniers des camps de concentration dans une grange qu'ils incendièrent ; les rares prisonniers qui ne furent pas brûlés vifs et qui réussirent à s'échapper furent secourus par des habitants de Gardelegen, qui les cachèrent dans des fossés. La famille Brandt qui vivait à deux kilomètres de cette grange n'avait aucune idée du crime qui y avait été perpétré. Deux jours plus tard, avant que les SS n'aient eu le temps de dissimuler les traces de ce funeste massacre, les troupes américaines investirent les lieux et procédèrent aussitôt à l'interrogatoire des rares survivants. Même en cette période sombre où les forces alliées faisaient presque chaque jour d'atroces découvertes, cette histoire fit la une des journaux à travers le monde. Profondément bouleversés

... les forces alliées faisaient presque chaque jour d'atroces découvertes...

d'apprendre qu'une telle ignominie s'était déroulée à quelques pas de chez eux, les Brandt ne pouvaient qu'appréhender le sort que la période d'après-guerre leur réserverait.

Comme Rosemarie parlait couramment anglais, une langue qu'elle avait apprise à l'école, elle traduisait souvent des documents pour des hauts gradés de l'Armée américaine. De son côté, Wilhelm développa des liens d'amitié avec plusieurs officiers américains, ce qui permit à sa famille d'être invitée à assister au spectacle que Louis Armstrong donna pour les troupes (voir l'encadré «Divertir les troupes»). Rosemarie, qui eut la chance de rencontrer l'artiste après le concert, le trouva «très gentil et en pleine forme». Cependant, après que les Américains l'eurent informé que la zone où il vivait passerait prochainement

Rosemarie (à gauche) et Gisi avec leur père vers la fin de la guerre.

sous contrôle soviétique, Wilhelm Brandt parvint à envoyer ses filles plus à l'ouest, dans la ville d'Hildesheim, dans ce qui deviendrait ultérieurement la zone d'occupation britannique en Allemagne, et ce, afin qu'elles soient en sécurité alors que lui et sa femme restaient sur place, en attendant l'occupation soviétique.

Une guerre éprouvante

Originaire de Streatham, au sud de Londres, Roger Williams participa à certains des combats les plus violents de la guerre. Dès sa sortie de l'école, il s'enrôla dans le Régiment London Scottish, croyant (à tort, comme il l'apprendrait ultérieurement) qu'il avait des ancêtres écossais. Après une période d'entraînement militaire, son régiment fut envoyé en août 1942 en Afrique du Nord, où Roger fut affecté au Régiment York & Lancasters. En juillet 1943, il participa à l'invasion de la Sicile, puis aux combats acharnés qui se déroulèrent sur la péninsule italienne jusqu'au printemps 1945. Son unité ayant subi de lourdes pertes et ayant été en grande partie décimée lors de la bataille du Monte Cassino (ou bataille du mont Cassin), Roger fut envoyé se reposer en Palestine, où un groupe extrémiste sioniste, le groupe Stern, se livrait à des actes terroristes et commettait des attentats. Un jour, alors que Roger parlait à un policier, la voiture de ce dernier explosa; s'il s'était trouvé à l'intérieur de son véhicule, cet officier serait mort. Drôle de repos!

De la mi-janvier à la mi-mai 1944, les Alliés luttèrent d'arrache-pied contre les Allemands pour reprendre la ville historique de Monte Cassino, où l'abbaye des Bénédictins fut entièrement détruite par les bombardements alliés.

Une sortie dans la neige en janvier 1946. Gisi est à l'avant de la jeep et Roger à l'arrière, tandis que Rosemarie se tient entre eux, la tête baissée.

De retour en Italie, Roger participa à de nombreuses batailles et fut témoin de scènes horribles. Au sortir d'un combat particulièrement éprouvant, Roger et un collègue officier décidèrent de tirer au sort pour déterminer qui s'occuperait des blessés et qui s'occuperait des chevaux; Roger fut très heureux lorsqu'il constata qu'il avait tiré les chevaux. En 1945, Roger et un de ses amis furent menacés d'être traduits en cour martiale lorsqu'ils refusèrent de rapatrier des réfugiés yougoslaves terrifiés à l'idée de replonger dans le chaos, en arguant qu'il est parfois moralement justifié de désobéir aux ordres. Étonnamment, ils s'en sortirent sans être inquiétés.

Conformément aux directives de l'état-major, Roger et les hommes du Régiment York & Lancasters poursuivirent sans relâche leur avancée à travers l'Europe, en direction de Berlin. Ils durent attendre que le jour de la Victoire soit proclamé pour pouvoir enfin se détendre un peu. De nombreuses histoires circulaient sur des soirées bien arrosées dans le mess des officiers, lors desquelles la bière coulait à flots et des bouchons de champagne étaient tirés sur les chandeliers. Pourtant, personne n'aurait osé les blâmer.

Entre-temps, Rosemarie et Gisi trouvaient la vie bien difficile à Hildesheim. En effet, les trois quarts des immeubles de la ville avaient été détruits lors des bombardements et la moitié des habitants étaient sans domicile et condamnés à vivre dans des abris de fortune. Ayant appris que la vie à Wolfenbüttel était plus confortable, Rosemarie posa sa candidature pour un poste de traductrice au mess des officiers. Lorsque celle-ci fut acceptée, les deux sœurs vinrent s'installer chez une femme dont le mari était prisonnier de guerre. Elles furent enchantées d'apprendre que le Régiment York & Lancasters était stationné à Wolfenbüttel, car il jouissait d'une réputation enviable.

Rosemarie fut surprise par l'alcoolisme et le comportement dissolu de ces soldats qui décompressaient à leur manière après avoir passé tant d'années à combattre; plus tard, elle qualifia ces hommes de «très vilains et turbulents». La première fois qu'elle posa ses yeux sur Roger, il était si saoul qu'il dut être transporté hors du mess des officiers par ses collègues. Toutefois, il lui fit certainement meilleure impression lors de leurs rencontres ultérieures, car durant l'hiver 1945-1946, ils se rapprochèrent. Ensemble, ils partirent skier dans le massif montagneux du Harz et furent souvent invités à aller danser avec des amis. Ainsi, de fil en aiguille, ils finirent par tomber amoureux. Constatant qu'ils étaient tous deux des êtres sociables, qui aimaient se divertir et étaient dotés d'un sens de l'humour farfelu, Roger ne tarda pas à la demander en mariage.

Avant d'accepter sa proposition, Rosemarie dut prendre une décision et surtout trancher un dilemme. La vie en Angleterre la rendrait-elle heureuse ? Son oncle Fritz, qui avait travaillé comme serveur à Londres, lui assura qu'elle adorerait cette ville, car il y avait beaucoup d'arbres. Au sortir de la guerre, l'idée qu'elle puisse être victime de discrimination en raison de ses origines lui traversa l'esprit, mais elle ne voyait pas très bien ce qu'on pourrait lui reprocher. Elle aurait aussi aimé savoir ce qu'en pensait son père, mais celui-ci avait été arrêté par les Russes et était retenu prisonnier au camp de concentration de Buchenwald. En sa qualité d'intendant d'un domaine, il était un personnage important

Les premières épouses de guerre allemandes débarquent à Hull, en Angleterre. Rosemarie est sur la seconde marche. Au-dessus d'elle se tient son amie, Ilsa Guest, qui faisait partie de la même traversée.

de sa ville; il avait donc été emprisonné avec le maire, le chef de la police et deux notables locaux.

Durant l'été 1946, Roger fut démobilisé et renvoyé en Angleterre où Rosemarie, qui entre-temps avait pris sa décision, le rejoignit en octobre. Sa mère l'accompagna à Hambourg où elle prit le transbordeur qui la conduisit jusqu'au port de Hull, en Angleterre, en compagnie des premières épouses de guerre allemandes. À leur arrivée, celles-ci furent accueillies par des photographes de presse britanniques, mais Roger conseilla à Rosemarie de ne faire aucun commentaire. Ils étaient enchantés de se revoir et, comme Roger avait eu la bonne idée d'apporter un phonographe, ils purent danser à bord du train qui les ramenait à Londres. De là, ils se rendirent à Wallington, dans le Surrey, où vivaient ses parents et, le 7 décembre, ils se marièrent. Malheureusement, aucun membre de la famille de Rosemarie ne put assister à cette cérémonie, en raison des restrictions sur les voyages imposées après la guerre.

Bâtir une nouvelle vie en Angleterre

Rosemarie se rendit vite compte que ses craintes concernant sa vie en Angleterre étaient infondées. Elle appréciait la nourriture et la campagne anglaise; de plus, ses beaux-parents, avec qui elle vivait, étaient très accueillants et, dans son entourage, elle ne suscita aucune hostilité. Sa seule tristesse était de ne pas voir sa famille, mais voyager à partir de l'Allemagne de l'Est était très difficile.

Une image de son passé se matérialisa en Grande-Bretagne. La librairie de Gardelegen avait appartenu à la famille Manger, et le fils Manger, Werner, était allé à l'école avec Rosemarie. Lorsqu'elle apprit qu'il avait été blessé durant la guerre et hospitalisé en France, dans un hôpital canadien, avant d'être transféré dans un camp de prisonniers de guerre à Norfolk, elle et Roger se lancèrent à sa recherche. Quand ils l'eurent retrouvé, ils prétendirent que Werner était un cousin de Rosemarie, ce qui leur permit de pouvoir l'inviter de temps à autre à dîner au restaurant. Lorsque Werner fut libéré en 1948, avant de rentrer en Allemagne, il les invita à l'hôtel Savoy à Londres en signe de reconnaissance.

Roger et Rosemarie le jour de leur mariage à Wallington dans le Surrey.
Aucun membre de la famille de la jeune femme ne put y assister.

Finalement, après deux ans et demi d'incarcération, le père de Rosemarie fut libéré de Buchenwald; heureusement, car Wilhelm était certain de ne pas pouvoir survivre à un autre hiver. En fait, sur les cinq notables arrêtés à Gardelegen, seuls deux d'entre eux purent regagner sains et saufs leurs domiciles. Durant la décennie suivante, Wilhelm parvint à se rendre une fois en Angleterre pour visiter Rosemarie et Roger, en utilisant un faux passeport; la famille Williams se rendit aussi en Allemagne de l'Ouest, ce qui leur donna l'occasion de rencontrer la famille de Rosemarie. Lors de cette visite, le père de Roger et celui de Rosemarie se rendirent compte qu'ils avaient tous deux combattu à la bataille de la Somme durant la Première Guerre mondiale, ce qui leur permit d'échanger de façon conviviale leurs souvenirs, et notamment de comparer leurs notes sur leurs positions respectives durant cette bataille. Toutefois, les contacts furent extrêmement rares et, lorsque Wilhelm mourut en 1958, Rosemarie ne put assister à ses funérailles.

Tout en élevant leurs trois enfants, Roger trouva un emploi de vendeur d'assurances et Rosemarie occupa diverses fonctions d'assistanat dans une école et un hôpital ainsi

Roger et Rosemarie en vacances en Cornouailles.
Elle apprit vite à aimer l'Angleterre.

> *Elle avait toujours su qu'elle avait pris la bonne décision en épousant Roger, le grand amour de sa vie.*

qu'un emploi administratif auprès de l'ambassade du Soudan. En 1989, lorsque le mur de Berlin fut démantelé, ils purent enfin se rendre en Allemagne de l'Est où ils rencontrèrent Werner Manger ainsi que l'amie d'enfance de Rosemarie, Elfriede Schulze. Constatant que la plupart de ses amis et connaissances avaient disparu, Rosemarie était heureuse d'avoir pu quitter son pays alors qu'il en était encore temps. Elle avait toujours su qu'elle avait pris la bonne décision en épousant Roger, le grand amour de sa vie.

De retour aux États-Unis, (en haut ci-contre) des soldats américains assistent au spectacle donné en leur honneur par les Andrews Sisters (les sœurs Andrews), Maxene, LaVerne et Patty, au quai 90 du port de New York, le 29 septembre 1945.

*Le comédien américain
Bob Hope en train de divertir
les troupes américaines
en 1945.*

DIVERTIR LES TROUPES

En mai 1941, Bob Hope se rendit sur la base aérienne de March Field, en Californie, pour animer une émission radiophonique destinée aux aviateurs qui y étaient stationnés. Cette expérience s'avéra si concluante qu'il décida de passer le reste de la guerre à faire la tournée des bases militaires américaines situées en Angleterre, en Afrique, en Sicile et dans le Pacifique Sud. «L'accueil enthousiaste, raconte-t-il, que les troupes nous réservaient partout dans le monde tenait au fait que nous faisions ressortir très clairement, et plus que toute autre chose, l'importance des mots "chez soi".» Des dizaines d'autres artistes américains suivirent son exemple, dont Bing Crosby, Lena Horne, les Andrews Sisters et Louis Armstrong, que Rosemarie découvrit sur scène à Gardelegen. La pin-up Betty Grable, «la fille dont les jambes valaient un million de dollars», envoyait ses photos autographiées aux troupes et répondait personnellement à toutes les lettres qu'elle recevait. Les Britanniques envoyaient, eux aussi, leurs artistes sur la ligne de front. Vera Lynn, qui était considérée comme «la chérie des forces britanniques», se rendit en Birmanie, en Inde et en Égypte. Sa chanson *We'll Meet Again* («nous nous reverrons») fut une des chansons de guerre les plus célèbres en anglais.

July 26, 1941.

Your last letter, dated June 5th, is immensely interesting
and moves me like churchbells in a country valley, like the obituary
of a man 'who made good', like an essay by a thoughtful man, and
like the 'resolution' which sometimes come over one on a fair morning before the shadowy clouds of doubt have formed.

I never confess to things which, published, would hurt me,
the little twisted affairs I keep to myself closely, so I never worry
about what I say in letters except, of course, as others might be
hurt or injured. This statement probably means little, I suppose,
because one's life is largely 'others'. What I have in mind is a
statement like yours that with you there has been no happiness for
seven years. You wouldn't mind that in Time Magazine, would you?
It is just a fact like your age -- or occupation --, it does not
accuse or malign you. It is a short cut description saying a great
deal and providing a base for speculation for those interested in
your life. It does, however, contain a hurt for some ears and hearts,
I presume; if not I would like amplification. These remarks were to
prelude my telling you that Caroline these many years opened the
morning mail at breakfast while I read the hideous newspaper. So
obviously she reads all your letters because they are always in the
first mail -- any postman would see to that, my dear -- and therefore
it follows that should I confess my sins to you or indulge in intro-
spection on my life's way I might produce an echo in you which, set
down in your crabbed writing, would cause Caroline to question, to
imagine, to wonder, perhaps to doubt, in ways she could do better
without. I cannot say there has been no happiness these past seven
years -- for a number of reasons. First, they have been the happiest
years of my life. Second, my previous years were definitely unhappy.
Third, all my years have been unhappy. The frame of reference is

expressed will to power which features 100% U.S. life today. The
problems of the U.S. are indeed different from those of Switzerland.
I would, by predilection, prefer to live in a small country,
provided it were the U.S.A.!

Signed but not read and with love,

MARY

*« Je pense à tes paroles, à toi qui dis ne pas avoir vécu de moment
de bonheur depuis sept ans », peut-on lire dans cette correspondance.*

Allen Dulles et Mary Bancroft

ALLEN WELSH DULLES
NOM

AMÉRICAINE
NATIONALITÉ

7 AVRIL 1893
DATE DE NAISSANCE

CHEF DE STATION EN SUISSE
FONCTION

BUREAU DES SERVICES
STRATÉGIQUES (OSS)
AFFECTATION

MARY BANCROFT
NOM

AMÉRICAINE
NATIONALITÉ

29 OCTOBRE 1903
DATE DE NAISSANCE

AGENT DE RENSEIGNEMENTS
FONCTION

BUREAU DES SERVICES
STRATÉGIQUES (OSS)
AFFECTATION

*Ambitieux, rusé et très actif sexuellement, Allen Dulles (ci-dessus)
fit en sorte que son mariage ne fasse pas obstacle à ses conquêtes.*

*Le « bal des débutantes » (page ci-contre) organisé en l'honneur de
Mary fut annoncé par le Cambridge Chronicle, le 15 octobre 1921.
Pour célébrer cet événement, ses parents engagèrent un petit orchestre et
organisèrent un thé dansant dans leur maison.*

«Tout devrait très bien se passer», déclara Allen, le maître-espion, à sa nouvelle recrue, Mary, lors de leur troisième rencontre, alors que rien ne s'était encore passé entre eux. «Laissons le travail masquer notre histoire d'amour et notre histoire d'amour masquer le travail.»

Mary était la fille d'un avocat de la haute bourgeoisie américaine, formé à l'Université Harvard, qui souffrait de dépression chronique, et d'une Irlandaise, issue d'un milieu défavorisé, qui mourut en lui donnant naissance. Par la suite, elle entretint des relations conflictuelles avec la femme que son père épousa en secondes noces, mais elle fut très proche du père de sa belle-mère, Clarence Barron, qui était propriétaire du *Wall Street Journal*. Barron encouragea très tôt la jeune Mary à étudier de près le profil psychologique de tous les gens, même «les joueurs et les escrocs». Elle suivit à la lettre ce conseil, ce qui lui fut très utile plus tard.

Mary était une adolescente intelligente et agitée, qui attirait les hommes avec ses longues jambes fuselées et son intelligence affûtée. Après avoir étudié un an au collège Smith dans l'État du Massachusetts, elle abandonna ses études et se maria, à l'âge de 18 ans, avec un ami d'enfance, Sherwin Badger, auprès de qui elle s'ennuya très vite. «À condition d'agir discrètement, c'était une époque particulièrement propice pour expérimenter différents partenaires», déclara-t-elle des années plus tard.

Lorsque leur premier bébé mourut, elle en fut profondément affectée, mais elle se retrouva vite enceinte. Deux autres enfants naquirent – un fils, Sherwin Junior, et une fille, Mary Jane. Elle tomba ensuite amoureuse d'un pianiste, Leopold Godowsky, et durant l'été 1933, après une union de 12 ans, son premier mariage finit en divorce.

Le pianiste n'ayant aucunement l'intention de quitter sa femme pour elle, elle rencontra, dans les mois qui suivirent son divorce, celui qui devint son second mari, un comptable suisse nommé Jean Rufenacht. Elle n'était pas amoureuse de lui, mais elle estimait qu'il pourrait lui offrir une vie agréable – un espoir qui s'avéra des plus futile lorsqu'il l'assomma

COMING OUT PARTY

Mr. and Mrs. Hugh Bancroft will present their daughter, Miss Mary Bancroft, at a tea at their house, 352 Beacon street, on November 11. Later in

MISS MARY BANCROFT

the season they will give a dance for her at the Brookline Country club. Mr. and Mrs. Bancroft and their family have returned to town for the winter from "Oaks Farm," their summer place at Cohasset.

« ... c'était une époque particulièrement propice pour expérimenter différents partenaires. »

pour la première fois lors d'une dispute. En dépit de ses réserves, elle accepta en 1934 d'aller vivre avec Jean en Suisse. Lors du voyage en bateau qui la conduisait en Europe, elle apprit une terrible nouvelle : son père dépressif s'était suicidé.

Mary et Jean se marièrent et s'installèrent à Zurich. Afin de mieux comprendre la complexité de sa psyché et les traumatismes émotionnels qu'elle avait endurés, Mary commença alors à étudier les travaux du psychiatre Carl Jung. Après avoir suivi une psychanalyse sous la supervision de Jung, elle se fit l'avocate fervente de ses méthodes. Comme son mari était souvent en déplacement pour raison d'affaires, elle en profita pour perfectionner sa pratique du français et de l'allemand, écrire un roman et prendre des amants.

À la fin des années 1930, lors de voyages en Allemagne nazie, Marie fut horrifiée de constater la mise en place de ce régime totalitaire. Lorsque la guerre éclata, elle en fut bouleversée, mais elle décida de demeurer en Suisse, qui était un pays neutre, pendant toute la guerre. Au printemps 1942, Gerald Mayer, un diplomate de la légation américaine à Berne, lui demanda de rédiger des comptes rendus et des analyses des discours et des articles nazis, publiés dans les médias allemands, ce qu'elle accepta avec enthousiasme, car elle estimait pouvoir contribuer ainsi, quoique modestement, à l'effort de guerre américain.

Un des signes annonciateurs de la guerre à venir – les troupes allemandes réoccupent la zone démilitarisée de la Rhénanie, le 7 mars 1936.

Nombreuses liaisons amoureuses

Allen Dulles était issu d'une famille américaine qui s'intéressait à la politique et à la religion : un de ses oncles et un de ses grands-pères avaient été secrétaires d'État (ministres des Affaires étrangères des États-Unis), alors que son père et son autre grand-père étaient tous deux pasteurs de l'Église presbytérienne. Après avoir reçu son diplôme de l'Université Princeton, il rejoignit le corps diplomatique et servit dans différents pays européens avant de retourner aux États-Unis où il obtint, en 1926, son diplôme d'avocat. Il accepta ensuite d'intégrer le prestigieux cabinet d'avocats Sullivan & Cromwell, ce qui lui permit, durant les années 1930, de rencontrer Hitler et Mussolini dans le cadre de son travail tout en observant la politique qu'ils mettaient en œuvre dans leurs pays respectifs. Lorsque la guerre éclata, il fut l'un des premiers à dénoncer avec véhémence la politique non interventionniste des États-Unis et il aida personnellement de nombreux juifs à fuir l'Allemagne nazie pour se réfugier aux États-Unis.

Allen Dulles était un homme extrêmement séduisant et charmant, qui avait le don de s'attirer la sympathie de tous. En 1920, il avait épousé Clover Todd, la fille d'un professeur de l'Université Columbia, à qui il fut infidèle durant toute la durée de leur mariage. Sa sœur estimait qu'il avait couché

... il était trop attiré par « la compagnie des autres femmes ».

avec «au moins cent femmes», et ce, sans faire le moindre effort pour dissimuler ses relations adultères à sa femme. Au contraire, Il évoquait même certaines de ses maîtresses dans les lettres qu'il envoyait à Clover lors de ses déplacements à l'étranger : il lui avouait avoir rencontré une Anglaise «plutôt jolie» avec qui il avait «dansé et bu du champagne jusqu'au petit matin» et une Franco-Irlandaise «très attirante (sans pour autant être belle)» avec qui il avait «veillé jusqu'à l'aube». Dans une lettre adressée à Clover, il confessa même qu'il ne la méritait pas, car il était trop attiré par «la compagnie des autres femmes». En dépit de ces écarts, elle fermait les yeux et acceptait ses incartades.

En juin 1942, l'Office of Strategic Services (OSS, «Bureau des services stratégiques») fut constitué. Cette agence de renseignements du gouvernement des États-Unis avait pour mission de conduire et de coordonner toutes les actions «clandestines» derrière les lignes ennemies et de collecter des informations stratégiques afin d'aider les différents services de

Le ministre Peter A. Jay et Allen Dulles (à droite) au département d'État en 1947, l'année où la CIA fut créée.

l'Armée américaine. Après avoir été nommé chef de station de l'OSS en Suisse, Allen fut envoyé en poste à Berne. Pendant toute la durée de la guerre, il demeura au 23, rue Herrengasse. Une de ses premières tâches fut de recruter des volontaires pour l'aider à recueillir les témoignages des milliers de réfugiés qui affluaient en Suisse. Comme il avait été très impressionné par les brillantes analyses de Mary, il lui proposa de discuter autour d'un verre à l'hôtel Baur au Lac de Zurich, au début de décembre 1942. Dès qu'il rencontra cette femme séduisante et intelligente, il comprit à qui il avait affaire et lui offrit aussitôt le poste d'agent de renseignements, ce qu'elle accepta avec joie.

Quelques jours plus tard, Allen invita Mary à dîner à son hôtel; lors de cette soirée, il lui demanda s'il pourrait lui emprunter du linge de lit, car il n'y en avait pas dans son appartement. Le lendemain, lorsqu'il se rendit chez elle pour récupérer le linge, il lui fit la déclaration suivante: «Laissons le travail masquer notre histoire d'amour et notre histoire d'amour masquer le travail.» Surprise, Mary se demanda de quelle histoire d'amour il s'agissait. Mais, au fond, elle était enchantée par la perspective de devenir sa maîtresse et de travailler comme espionne à son service. En effet, son mariage avec Jean battait de l'aile et la femme d'Allen venait tout juste de regagner les États-Unis. Comme ils étaient très attirés l'un par l'autre, rien ni personne ne pouvait se dresser sur leur chemin. C'est ainsi que leur liaison débuta.

Espionnage à la manière suisse

Mary et Allen prirent l'habitude de se téléphoner chaque matin à 9 h 20. Il l'informait alors des rendez-vous qu'il avait programmés pour elle durant la journée; pour s'assurer qu'ils ne puissent être compris en cas d'écoute téléphonique, ils communiquaient en utilisant un mélange d'argot américain et de termes sibyllins qu'eux seuls pouvaient comprendre. Une fois par semaine, Mary se rendait en train à Berne. Elle déposait ses valises dans un hôtel situé près de la gare puis se rendait à l'appartement d'Allen où ils passaient la journée à préparer des comptes rendus qu'ils transmettaient ensuite à Washington. Dans la soirée, il appelait son supérieur hiérarchique pour faire son rapport quotidien en utilisant un radiotéléphone sécurisé. Ensuite, ils étaient libres de passer la nuit ensemble.

Mary ne tarda pas à tomber follement amoureuse d'Allen. «La rapidité à laquelle il pensait et l'ingéniosité qu'il déployait pour trouver des solutions aux problèmes les plus complexes me fascinaient», écrivit-elle des années plus tard dans son autobiographie. Elle prit alors la décision de divorcer, mais, lorsqu'elle évoqua la perspective d'une vie commune, il lui répondit sans ménagement: «Je ne peux pas t'épouser. Et même si je le pouvais, je ne le ferais probablement pas. Par contre, je te désire et j'ai besoin de toi maintenant.» Mary fut déçue et blessée, mais elle admira sa franchise et décida de rester à ses côtés.

Elle se rendit vite compte que, pour Allen, le sexe était un besoin physique, pas un acte d'amour. Une fois, il se présenta chez elle sans être annoncé et lui demanda de faire l'amour rapidement sur le canapé, pour se changer les idées avant de participer à une

Éléments de la machine de décryptage (en haut à droite) mise au point à Bletchley Park, dans la banlieue de Londres.

Les décrypteurs (à droite) de Bletchley Park. Le travail de ces scientifiques était si secret qu'il ne fut révélé qu'en 1974.

CODES ET DÉCRYPTEURS

Allen et Mary se parlaient au téléphone en utilisant des termes d'argot américain qui étaient incompréhensibles aux espions suisses et allemands qui les écoutaient. Dans le Pacifique, les forces américaines faisaient appel à des Indiens navajos pour transmettre des messages dans leur langue, que les Japonais ne pouvaient comprendre. Les Alliés et les puissances de l'Axe transmettaient leurs messages ultra-secrets en utilisant des codes complexes. Les belligérants tentèrent donc de déchiffrer les codes que l'ennemi utilisait pour chiffrer ses messages. À Bletchley Park, dans le Buckinghamshire en Angleterre, le mathématicien Alan Turing conçut, en 1941, une machine qui parvint à « casser » le code allemand « Enigma », permettant ainsi aux Alliés de localiser les sous-marins allemands (*U-Boot*) qui sillonnaient l'Atlantique, et de protéger le trafic maritime. Selon certains historiens, ce décodage permit de rac-

courcir d'au moins deux ans la capacité de résistance du régime nazi. Aux États-Unis, en septembre 1940, les décrypteurs du Service des renseignements de l'Armée américaine (« US Army Signals Intelligence ») cassèrent le code « Pourpre » (« Purple ») des Japonais, ce qui leur permit de découvrir que ces derniers s'apprêtaient à rompre les négociations de paix, sans pour autant apprendre qu'une attaque sur Pearl Harbor était imminente.

importante réunion. Elle savait qu'il avait d'autres maîtresses. Aussi, lorsqu'il lui demanda de traduire les mémoires de Hans Bernd Gisevius, membre des services de renseignements allemands (*Abwehr*), Mary n'hésita pas une seconde à coucher avec cet agent double allemand. En fait, sachant que Gisevius appartenait à un mouvement de résistance clandestin qui s'opposait à Hitler, Allen voulait que Mary évalue la pertinence de son recrutement éventuel. Lorsqu'elle remit à Allen son rapport final, qui concluait que cet homme était digne de confiance, il devint un contact clé de l'OSS. Gisevius informa à l'avance Allen de plusieurs plans visant à assassiner Hitler et, après l'échec de la tentative d'assassinat du 20 juillet 1944, Allen aida Gisevius à fuir et à se réfugier en Suisse.

Il était de notoriété publique qu'Allen était un espion américain, ce qui normalement aurait dû l'empêcher d'opérer librement, mais il connut néanmoins de grands succès. Il parvint, entre autres, à établir de solides contacts avec de nombreux Allemands opposés au régime d'Hitler : Fritz Kolbe, qui lui remit 1 600 documents secrets et lui transmit les plans d'un nouveau modèle d'avion de chasse allemand, le Messerschmitt Me 262 ; Gero von Schulze-Gaevernitz, un économiste allemand qui joua un rôle clé dans les négociations entourant la reddition des troupes allemandes à la fin de la guerre ; et Gisevius, qui l'aida à entrer en contact avec des groupes de résistants à l'intérieur de l'Allemagne. Allen contribua également à la création de groupes de résistants en France et en Italie ; de plus, il rapporta l'existence d'un centre de fabrication et d'un site d'essais de missiles ultra-secrets, basé à Peenemünde dans le nord-est de l'Allemagne ; il découvrit aussi les plans de la défense côtière de la région Pas-de-Calais en France ; et enfin, il parvint à établir un

Allen et sa femme Clover, le 11 juillet 1955. Selon Mary, c'était une femme habile, qui avait de l'esprit et faisait preuve de beaucoup de compassion, mais elle et Allen avaient parfois de terribles disputes.

rapport très détaillé des dommages causés par les bombardements alliés en Europe.

Leur liaison dura jusqu'à l'automne 1944, soit après la libération de la France. À cette date, Clover put enfin rejoindre son mari à Berne. Peu de temps après son arrivée, Allen invita Mary à la rencontrer et, à sa grande surprise, cette dernière découvrit alors qu'elle appréciait énormément la femme de son amant. Clover, qui avait très rapidement saisi la nature des liens qui les unissait, lui déclara un jour : « Je veux que tu saches que je peux voir à quel point vous prenez soin l'un de l'autre – ce que j'approuve. » Clover et Mary demeurèrent amies toute leur vie, mais aucune d'elles ne fit plus jamais allusion à la liaison que Mary et Allen avaient entretenue.

Certificat de décès de Claus von Stauffenberg, exécuté après l'échec du complot visant à assassiner Hitler.

LE COMPLOT POUR ASSASSINER HITLER

Les résistants allemands ourdirent de nombreux complots contre Hitler. En novembre 1939, une bombe fut placée dans une salle où il devait prononcer un discours, mais l'engin n'explosa qu'après son départ. En 1943, après la défaite de Stalingrad, quand il devint évident que l'Allemagne ne pourrait plus gagner la guerre, de nombreux officiers cherchèrent à éliminer le Führer. L'un d'entre eux, Claus von Stauffenberg avait été nommé chef d'état-major le 1er juillet 1944. Le 20 juillet, il plaça une mallette contenant une charge explosive à portée létale d'Hitler dans une salle de réunion de la *Wolfsschanze* (la « tanière du loup »), puis il quitta la pièce sous le prétexte de devoir téléphoner. Après son départ, la mallette fut déplacée. Lorsque la charge explosa, trois personnes furent tuées et onze autres blessées, mais Hitler survécut et ne souffrit que d'une rupture du tympan. La plupart des conjurés, incluant von Stauffenberg, furent exécutés le lendemain et des milliers de personnes, soupçonnées d'appartenir à la Résistance allemande furent arrêtées par la Gestapo, privant Allen de son réseau d'informateurs en Allemagne.

En janvier 1945, Allen et Clover se rendirent à Ascona, à la frontière italo-suisse, où le général SS Karl Wolff devait participer à des pourparlers secrets pour négocier la reddition des troupes allemandes en Italie. Clover n'était pas impliquée dans le travail de son mari, du moins pas autant que Mary l'avait été. En conséquence, afin que les deux hommes puissent être tranquilles et parler librement, elle partit naviguer en chaloupe sur le lac Majeur en Italie alors qu'ils finalisaient les derniers détails de l'opération *Sunrise* («lever de soleil»), soit la capitulation des forces allemandes en Italie.

Quelques semaines plus tard, Allen et Clover se rendirent ensemble à Kreuzlingen, à la frontière germano-suisse, où ils découvrirent que toutes les maisons environnantes arboraient des drapeaux blancs et des croix rouges accrochées sur les toits. Ils comprirent alors que la guerre était vraiment terminée, ce qui leur procura un immense soulagement.

Le 23 juillet 1960, le candidat à la présidence John F. Kennedy rencontre Allen Dulles,
le chef de la CIA, qui l'informe des plans visant à renverser Fidel Castro à Cuba.

Le sens de la famille

Après la guerre, Allen fut nommé chef de l'OSS à Berlin, où il séjourna durant six mois avant de retourner aux États-Unis pour participer à la création d'une nouvelle agence de renseignements, la Central Intelligence Agency (CIA, «Agence centrale de renseignements»). En 1953, il fut nommé directeur de la CIA par le président Eisenhower. Toutefois, son action à la tête de cet organisme fut très controversée : il fut tenu responsable du renversement de gouvernements démocratiquement élus en Iran en 1953 et au Guatemala en 1954; il fut aussi accusé d'avoir comploté afin de renverser le président Sukarno en Indonésie en 1958; et enfin il fut accusé d'avoir fomenté des complots visant à assassiner Patrice Lumumba au Congo et Fidel Castro à Cuba. Pendant le mandat de John F. Kennedy, Allen Dulles fit face à des critiques grandissantes. On lui reprochait d'avoir introduit puis généralisé l'usage des avions-espions U2 et d'avoir planifié l'invasion de la baie des Cochons, où des Cubains anticastristes tentèrent d'envahir Cuba. Après l'échec de l'opération, Dulles fut renvoyé par le président Kennedy, mais réhabilité lorsque le président Lyndon Johnson l'engagea comme l'un des sept

En 1946, lors du procès de Nuremberg, Gisevius témoigna en faveur d'un ancien collègue. Mary l'accompagna pour assister à ce procès.

Ce fut un amour hors normes qui balaya toutes les conventions.

membres de la commission Warren, créée en 1963 pour enquêter sur les circonstances de l'assassinat du président Kennedy.

En 1946, Mary accompagna Gisevius à Nuremberg, où il témoigna contre des dignitaires nazis, dont son ancien supérieur, Hermann Göring. Elle divorça de Jean Rufenacht en 1947 et, en 1953, elle se réinstalla de façon permanente aux États-Unis. En septembre 1952, sa fille, Mary Jane, épousa Horace Taft, le petit-fils de William Taft, le 27ᵉ président des États-Unis et ce fut Allen lui-même qui donna le bras à la jeune mariée et l'accompagna jusqu'à l'autel. En janvier 1969, Clover téléphona à Mary pour l'informer qu'Allen était mort d'une pneumonie; il avait 75 ans. Les deux femmes restèrent amies jusqu'à la mort de Clover en 1974. La liaison de Mary et Allen fut inhabituelle à bien des égards; elle se déroula à l'étranger alors que tous deux avaient une mission importante et dangereuse à accomplir. Ils traversèrent pourtant ces épreuves en s'appuyant sur un extraordinaire lien de confiance. Ce fut un amour hors normes qui balaya toutes les conventions.

WELDON HUDSON TURNER
NOM

AMÉRICAINE
NATIONALITÉ

21 MARS 1922
DATE DE NAISSANCE

CAPORAL
FONCTION

**192ᵉ UNITÉ D'ARTILLERIE
DE CAMPAGNE DE LA
43ᵉ DIVISION D'INFANTERIE**
AFFECTATION

BETTY BOOTH
NOM

NÉO-ZÉLANDAISE
NATIONALITÉ

4 JUIN 1925
DATE DE NAISSANCE

CROIX-ROUGE AMÉRICAINE
AFFECTATION

Hudson et Betty Turner

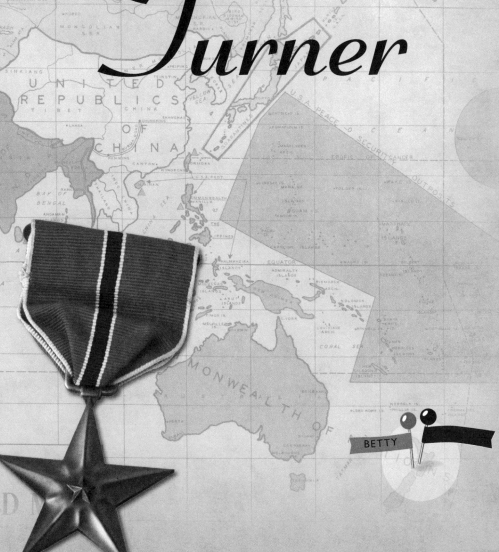

BETTY

« Les Américains me tenaient tous le même discours. Ils me disaient que j'étais belle, mais je savais bien que ce n'était pas vrai. »

Hudson (en haut) et Betty avec une amie en Nouvelle-Zélande. Lorsqu'ils se rencontrèrent, Betty avait 17 ans et Hudson 20 ans.

Hudson Turner n'était âgé que de 18 ans lorsqu'il s'enrôla dans l'armée, mais il fit preuve
d'une telle bravoure lors de la campagne du Pacifique qu'il regagna les États-Unis en héros,
décoré de trois Étoiles de bronze («Bronze Stars») et d'une médaille Purple Heart.
Parmi ses nombreux souvenirs de guerre, il ne pouvait oublier la fille adorable
qu'il avait rencontrée lors d'une escale à Auckland.

Hudson faisait partie d'un groupe de 70 gardes nationaux, originaires de Greenwich au Connecticut, qui s'engagèrent pour combattre les puissances de l'Axe en 1940. Dans la vie civile, il avait travaillé comme assistant d'un électricien et ne connaissait rien du monde extérieur, mais il sut rattraper son retard durant son entraînement militaire à Fort Blanding, en Floride. En décembre 1941, après l'attaque de Pearl Harbor, son unité fut envoyée à San Francisco où elle embarqua vers Guadalcanal, dans le Pacifique Sud, alors que la première offensive majeure des forces alliées contre l'Empire du Japon allait se déclencher.

«La plupart de ceux qui partirent avec moi à l'étranger étaient originaires de Greenwich, ce qui rendait les choses beaucoup plus faciles pour nous, car nous nous connaissions tous», déclara-t-il des années plus tard.

Au milieu du Pacifique, un des bateaux de l'escorte frappa une mine et coula. Aussitôt, son groupe reçut l'instruction de se diriger vers la Nouvelle-Zélande pour se rééquiper. Le 23 octobre 1942, lorsqu'Hudson et ses compagnons accostèrent dans le port d'Auckland, ils furent sûrement soulagés de pouvoir ainsi différer leur participation aux combats, d'autant plus qu'ils furent accueillis à bras ouverts par des Néo-Zélandais terrifiés, qui redoutaient la menace japonaise. Durant la première semaine en Nouvelle-Zélande, Hudson fut affecté à la surveillance d'un entrepôt. Alors qu'il faisait sa ronde à l'extérieur du bâtiment, il remarqua une fille qui travaillait dans un bureau situé à l'étage supérieur; il l'appela sans hésiter et lui demanda si elle accepterait de le rencontrer devant la porte latérale de l'entrepôt, après son travail.

«Étant donné la distance, je ne pouvais pas voir grand-chose sinon qu'il était blond et qu'il avait de belles dents blanches», reconnut Betty. «Vous savez, les Américains me tenaient tous le même discours. Ils me disaient que j'étais belle, mais je savais bien que ce n'était pas vrai.»

La Nouvelle-Zélande déclara la guerre à l'Allemagne en septembre 1939, lorsque l'ultimatum que la Grande-Bretagne avait imposé à l'Allemagne expira. Dès que le Japon entra en guerre et que ses avions de chasse commencèrent à survoler les îles du Pacifique, les Néo-Zélandais prirent conscience de leur vulnérabilité et du peu de protection dont ils bénéficiaient.

Pourtant, Hudson la trouva fort jolie et, dès leur premier rendez-vous, ils se rendirent compte qu'ils avaient beaucoup en commun, entre autres le fait d'avoir tous deux perdu un de leurs parents à l'âge de six ans. La mère d'Hudson était morte en couches et le père de Betty était lui aussi mort très jeune, obligeant ainsi son épouse à lutter d'arrache-pied pour élever décemment leur fille avec son maigre salaire de couturière. En raison de ce lien commun, il ne s'inquiéta pas outre mesure lorsqu'il découvrit qu'elle était sortie avant lui avec Art, un de ses amis, car il s'estimait chanceux qu'elle veuille bien le fréquenter.

La mère de Betty l'avait pourtant mise en garde : «Ne ramène jamais un de ces Américains à la maison.» Les Américains ayant une réputation de coureurs de jupons, elle ne voulait pas que sa fille de dix-sept ans tombe amoureuse de l'un d'entre eux et en ait le cœur brisé. En effet, plusieurs filles avaient été mises enceintes par des GI stationnés en Nouvelle-Zélande. Mais lorsque Betty leur présenta Hudson, sa mère et sa grand-mère furent immédiatement conquises. Il se montrait fort respectueux des aînés et sa grand-mère Hilda était particulièrement impressionnée de le voir se lever chaque fois qu'elle entrait dans une pièce, et ce, même si elle ne s'était absentée que quelques instants.

Sa mère ayant suggéré à Betty de l'inviter à dîner le jour de Noël, Hudson put partager le repas de fête avec toute la famille, mais ce bonheur fut assombri par la perspective de devoir reprendre la mer, deux jours plus tard. Le jour de son départ, Betty se rendit jusqu'au quai d'embarquement pour lui dire au revoir et le saluer. Perdue parmi les centaines de personnes qui souhaitaient longue vie et succès aux soldats, elle s'efforça de sourire et d'agiter les bras dans sa direction en espérant qu'Hudson pourrait distinguer sa silhouette au milieu de la foule. Lorsque le bateau ne fut plus qu'un point à l'horizon, elle

Betty fut vite conquise par Hudson. Dès le début de leur relation,
elle sut qu'elle voulait l'épouser.

fondit en larmes : il avait été si parfait. Malgré les mises en garde de sa mère, au terme de trois mois de fréquentation, elle était tombée éperdument amoureuse de lui. Mais Betty était une jeune femme déterminée. En dépit de son jeune âge, elle décida de faire en sorte qu'il ne l'oublie pas. Peu importe ce que cela impliquait, elle ferait tout son possible pour occuper la première place dans ses pensées et dans son cœur.

D'une île à l'autre dans le Pacifique

Durant l'année 1942, l'invasion japonaise du Pacifique Sud fut stoppée net par la puissance de la marine américaine et par la supériorité technologique des décrypteurs américains, mais les îles qui étaient occupées par les forces japonaises durent être reprises une par une lors de combats meurtriers et acharnés. Les troupes japonaises, qui s'étaient installées dans une position défensive dans des cavernes et des tranchées, étaient prêtes à se battre jusqu'au dernier homme tandis que les bombardiers nippons, arborant un disque rouge sur leurs ailes, survolaient sans cesse les champs de bataille. Lorsque Hudson arriva à Guadalcanal, au sud des îles Salomon, les forces américaines avaient déjà réoccupé la majeure partie de l'île, mais les Japonais essayaient toujours de reprendre l'aérodrome Henderson, qui constituait une position de la plus haute importance. Les combats furent particulièrement violents autour d'une crête stratégique, la crête d'Edson, dans le périmètre de l'aérodrome, que les Américains surnommèrent la « crête sanglante » ou « Bloody Ridge ». Hudson, qui avait été formé pour opérer un obusier de 155 mm et pour conduire de gros camions destinés à transporter les troupes d'une position à une autre, se retrouva donc plongé au plus fort des combats.

Les troupes américaines défilent sur Queen Street à Wellington, accompagnées par une fanfare.
Les Néo-Zélandais les accueillirent à bras ouverts.

À la fin du mois de janvier 1943, après que l'île de Guadalcanal eut été sécurisée, la 43ᵉ Division d'Hudson se déploya le long du «Slot» («la rainure»), un détroit au milieu des îles Salomon, puis parvint à reprendre sans résistance les îles Russell. De là, ils avancèrent vers Rendova, une île de l'archipel de la Nouvelle-Géorgie, dans la province occidentale des îles Salomon. Les Japonais se battirent très courageusement, mais les hommes de la 43ᵉ Division firent preuve d'une telle vaillance qu'ils réussirent à hisser le drapeau américain à Rendova le 30 juin 1943, en n'ayant à déplorer que quatre pertes alors que 50 à 60 Japonais avaient été tués.

L'île de Rendova devint rapidement une base pour les vedettes lance-torpilles (PT) américaines, d'où furent lancées de nombreuses opérations nocturnes visant à intercepter les navires de ravitaillement japonais. Parmi les commandants de vedettes lance-torpilles se trouvait un jeune officier, John F. Kennedy, qui commandait le *PT-109*. Un as de l'aviation de combat américaine, Pappy Boyington, qui était basé sur l'île de Rendova en même temps qu'Hudson, devint un héros légendaire après avoir descendu 14 avions de chasse japonais en seulement 32 jours, durant l'été 1943. Tandis que dans les airs et sur mer, les avions et les bateaux manœuvraient sans cesse, les hommes n'avaient pas une minute de répit, mais Hudson trouva néanmoins le temps nécessaire pour répondre à toutes les lettres que Betty lui envoyait.

Le 30 juin 1943, la 43ᵉ Division d'infanterie débarqua sur l'île de Rendova, dans les îles Salomon. La garnison japonaise qui y était stationnée fut vite débordée.

LE *PT-109*

Le 2 août 1943 à deux heures du matin, alors que John F. Kennedy était aux commandes de la vedette lance-torpilles *PT-109*, celle-ci fut éperonnée et coulée au large des îles Salomon. Après s'être consultés, Kennedy et les membres de son équipage décidèrent de nager plutôt que de se rendre à l'ennemi. Kennedy, qui avait fait partie de l'équipe de natation de l'Université Harvard, réussit, à l'aide de la courroie de son gilet de sauvetage serrée entre ses dents, à haler un membre de son équipage blessé. Les onze survivants durent nager plus de quatre heures avant d'atteindre l'île la plus proche, inhabitée et sans eau potable. Ils se rendirent sur une île voisine où ils trouvèrent des noix de coco, ce qui leur permit de s'alimenter et de survivre.

Le quatrième jour après l'attaque, ils rencontrèrent des indigènes qui acceptèrent de se rendre à Rendova en canot afin de transmettre un message gravé sur une coquille de noix de coco. Ce message était le suivant: «ÎLE NAURU... INDIGÈNE CONNAÎT POSITION... PEUT GUIDER... 11 SURVIVANTS... BESOIN PETIT BATEAU... KENNEDY...» Finalement, le 8 août 1943, ils furent tous secourus.

John F. Kennedy, officier commandant de la vedette lance-torpilles PT-109, et le compte rendu militaire du naufrage de son bateau.

Durant la bataille de Guadalcanal, des soldats se portent à la rescousse d'un camarade blessé.

«Ils méritent toute notre reconnaissance : ils risquent leur vie sous les balles et très peu sont armés.»

Entre août 1942 et février 1943, 31 000 Japonais et 7 100 Américains périrent lors des combats.

Durant la nuit du 20 juillet 1943, Hudson fut envoyé à Guadalcanal avec pour mission de ramener le maximum de munitions. Hudson et ses camarades de combat embarquèrent à bord d'une péniche de débarquement, construite en contreplaqué. Au loin, ils pouvaient entendre le bruit des avions japonais qui «mitraillaient sans relâche les bateaux alliés qui embarquaient les blessés»; il leur fallait donc traverser le «Slot» aussi rapidement et silencieusement que possible.

Alors qu'ils manœuvraient, un avion de chasse japonais les survola un instant, plongea en piqué et lâcha une bombe antipersonnelle qui frappa la poupe du bateau. Si le pilote de chasse avait eu plus de munitions dans sa mitrailleuse lourde, Hudson n'aurait pas survécu. L'impact de l'explosion fut tel qu'il fut projeté vers l'étage inférieur du bateau où il atterrit sur son épaule et s'évanouit immédiatement. Lorsqu'il reprit connaissance, il avait été transporté sur une plage de Guadalcanal et il se trouvait dans un trou de tirailleur en compagnie d'un officier qui lui administrait de la morphine pour atténuer sa douleur.

C'est en civière qu'il arriva à l'hôpital de campagne de Guadalcanal où les médecins l'informèrent que son coude et son épaule gauches avaient été brisés et que sa clavicule était cassée.

Deux jours plus tard, après que les chirurgiens eurent opéré son bras, les autorités militaires décidèrent de l'envoyer en Nouvelle-Calédonie afin qu'il puisse récupérer. Une fois à destination, ses supérieurs estimèrent que ses blessures étaient suffisamment graves pour le renvoyer aux États-Unis, où il pourrait suivre une réadaptation appropriée. Soulagé, il embarqua donc à bord d'un bateau-hôpital à destination de San Francisco, mais ses épreuves étaient loin d'être terminées, car à minuit, en plein milieu du Pacifique, le bateau-hôpital sur lequel il se trouvait entra en collision avec un autre bateau américain. Autant dire qu'il poussa un immense soupir de soulagement lorsqu'il se retrouva enfin en sol américain.

La vie en Nouvelle-Zélande durant la guerre

La Nouvelle-Zélande, un dominion britannique, déclara la guerre à l'Allemagne immédiatement après la Grande-Bretagne, ce qui eut pour effet d'envoyer au combat 150 000 de leurs jeunes hommes et femmes. Aucune bataille ne se déroula directement sur leur sol, mais, durant les premières années de la guerre, les avions japonais survolaient souvent l'île du Nord, entraînant des paniques générales. Les fournitures étant prioritairement réservées à l'armée et les industries étant reconverties pour servir l'économie de guerre, il y eut une grave pénurie de biens de première nécessité. Par ailleurs, l'essence était strictement rationnée et des coupons étaient exigés pour obtenir des vêtements, ainsi que du beurre, de la viande et d'autres aliments de base.

À cette époque-là, Betty travaillait pour la Croix-Rouge américaine à Auckland; son travail consistait à confectionner et emballer des colis destinés aux prisonniers de guerre qui étaient acheminés à un point central de distribution, mais la plupart d'entre eux partaient pour l'Europe, car le Japon n'ayant pas signé la Convention de Genève, les prisonniers des Japonais ne pouvaient pas s'attendre à recevoir de tels colis. Après le travail, Betty regagnait le quartier de Ponsonby où elle vivait avec sa mère. Elle passait de longues soirées à écrire à Hudson; elle lui envoyait au moins deux lettres par semaine, où elle lui racontait sa vie en détail tout en cherchant anxieusement à savoir ce qui lui arrivait.

Il y avait toujours de longs intervalles entre ses réponses parce que la distribution du courrier n'était pas une priorité de l'armée. En juillet 1943, n'ayant pas eu de nouvelles de lui depuis des semaines, Betty commença à s'inquiéter. C'est alors qu'elle reçut la nouvelle qu'Hudson était sain et sauf aux États-Unis, où il suivait un traitement pour soigner des blessures au bras. Betty en fut soulagée. Durant les mois que dura sa réadaptation, alors que ses os se renforçaient et se solidifiaient, Hudson séjourna dans le luxueux hôtel Greenbrier de White Sulphur Springs, en Virginie-Occidentale, un établissement cinq étoiles qui avait été converti en hôpital pour anciens combattants.

C'est de là qu'Hudson entretenait sa correspondance avec Betty. Ayant obtenu une longue permission, Hudson put rentrer chez lui et fêter Noël en famille à Greenwich, au Connecticut, en compagnie de sa sœur Eleanor et de son mari Kenneth. Il fut surpris d'être accueilli en héros par la presse locale. «Les journalistes ne me laissaient pas tranquille», se remémora-t-il, des années plus tard. Tous voulaient savoir comment il avait reçu ses blessures et s'il avait des nouvelles des autres membres de l'unité de Greenwich. Au terme de sa permission de 30 jours, Hudson comparut devant une commission médicale de l'Arkansas qui détermina que son épaule gauche n'était pas suffisamment rétablie pour qu'il puisse retourner au combat. En mars 1944, il obtint avec les honneurs son certificat de libération de l'Armée américaine, ce qu'il accueillit avec des sentiments partagés. Il était certes soulagé d'avoir survécu à la guerre, mais il se sentait coupable de ne plus pouvoir combattre auprès de ses camarades.

MÉDAILLES DE GUERRE

Toutes les nations décernaient des médailles à leurs soldats pour récompenser la vaillance au combat. Aux États-Unis, la plus haute distinction militaire est la Médaille d'honneur (Medal of Honor), décernée 464 fois durant la Seconde Guerre mondiale. L'Étoile d'argent («Silver Star») est attribuée à des soldats pour hauts faits de bravoure, l'Étoile de bronze («Bronze Medal»), qu'Hudson reçut trois fois, est attribuée pour des actions héroïques. Hudson fut aussi décoré de la Médaille militaire Purple Heart («cœur violet»), décernée aux personnes blessées ou tuées au service de l'Armée américaine, de la Médaille de la campagne Asie-Pacifique et de la Médaille de bonne conduite pour avoir servi trois ans.

Union soviétique : Ordre de l'Étoile rouge. France : Croix de guerre; Grande-Bretagne : Croix de Victoria et Croix de George. Allemagne : Croix de fer. Japon : Ordre du Milan d'or.

Il alla vivre à Greenwich chez Eleanor et Kenneth et accepta un emploi à la poste. Durant les dix-huit mois qui suivirent, il rencontra d'autres filles, mais les lettres de Betty continuaient d'arriver et jamais il ne cessa de lui répondre. À dire vrai, ils étaient unis par un lien si spécial qu'aucune autre fille ne trouvait grâce à ses yeux. À la fin de 1945, il vit dans un journal une publicité de la compagnie de navigation Matson Steamship – celle-ci offrait un billet «autour du monde», au coût modeste de 250 dollars, aux anciens combattants, désireux d'aller chercher leurs petites amies demeurées à l'étranger. Pour être admissible au programme «Love Boat» («le bateau de l'amour»), Hudson devait produire une lettre de Betty, prouvant qu'elle acceptait de l'épouser. Lorsqu'il lui écrivit pour faire sa demande officielle, il était très nerveux, mais sûr de sa réponse : «Si elle m'a écrit trois cents lettres durant la guerre, elle s'attendait à ce que je vienne un jour la chercher», reconnut-il ultérieurement. «Les Américains disaient toujours aux filles qu'ils reviendraient un jour en Nouvelle-Zélande pour les épouser. Mais ce n'était que des paroles en l'air», lui rétorquait Betty. Pourtant, Hudson embarqua en compagnie de 50 à 60 autres anciens combattants, sur le *Monterey*, un paquebot qui accosta à Auckland en janvier 1946. Il y fut accueilli par Betty et sa mère. «Il portait un costume», se remémora Betty. «Je ne l'avais jamais vu en costume avant. Il me parut si beau et si élégant.»

Quand ils se marièrent, le 9 mars 1946, Betty portait une robe confectionnée par sa mère. Immédiatement après la cérémonie, ils embarquèrent vers les États-Unis à bord d'un paquebot, majoritairement occupé par des couples de jeunes mariés. Lorsqu'ils débarquèrent à San Francisco, ils prirent le train jusqu'au Connecticut, où ils furent

La Médaille d'honneur : la plus haute distinction militaire américaine.

MONTEREY   II7048

Le Monterey, *surnommé le bateau de l'amour (« Love Boat »), permit de réunir des couples qui s'étaient formés lors de la guerre du Pacifique.*

hébergés dans un premier temps par la sœur et le beau-frère d'Hudson. Aux États-Unis, Betty eut sur bien des plans un véritable choc culturel. Bien qu'Hudson ait toujours fait preuve d'égard à son endroit, elle trouvait que les hommes américains étaient moins polis et respectueux que les Néo-Zélandais. De plus, la nourriture et les coutumes gastronomiques étaient fort différentes. Peu de temps après leur arrivée, Hudson trouva un emploi de réparateur d'appareils électroménagers chez Sears et ils s'installèrent dans une jolie maison de Greenwich, où naquirent leurs quatre enfants. Hudson taquinait souvent Betty sur son accent néo-zélandais, qu'elle ne perdit jamais, mais il fut un père dévoué dont le plus grand plaisir était de partir camper avec sa famille.

« Si j'avais la chance de revivre ma vie, je ferais exactement la même chose. »

Hudson avait dû faire bien du chemin pour trouver une épouse et Betty avait dû traverser l'océan Pacifique pour bâtir une nouvelle vie avec son mari, mais jamais ils ne regrettèrent leur choix. « Si j'avais la chance de revivre ma vie, je ferais exactement la même chose », dit-il la veille de sa mort. Lorsqu'on l'interrogeait sur ses ambitions de jeune fille, vivant en Nouvelle-Zélande durant la guerre, Betty reconnaissait qu'elle n'en avait jamais eu qu'une : épouser Hudson.

Bob et Rosie
Norwalk

CARTE D'IDENTITÉ

ROBERT «BOB» NORWALK
NOM

AMÉRICAINE
NATIONALITÉ

18 NOVEMBRE 1916
DATE DE NAISSANCE

MAJOR
FONCTION

CORPS D'INTENDANCE
MILITAIRE / 14ᵉ CORPS
DES TRANSPORTS
AFFECTATION

SECONDE GUERRE MONDIALE
MARIAGE
30 JUIN
1946
HISTOIRES D'AMOUR

ROSIE LANGHELDT
NOM

AMÉRICAINE
NATIONALITÉ

22 FÉVRIER 1919
DATE DE NAISSANCE

SURINTENDANT
FONCTION

CROIX-ROUGE
AMÉRICAINE
AFFECTATION

SECONDE GUERRE MONDIALE
MARIAGE
30 JUILLET
1946
HISTOIRES D'AMOUR

En novembre 1945, peu avant qu'il ne reprenne la mer en direction des États-Unis, Bob se fit photographier avec Rosie à Londres. Sachant qu'ils seraient séparés durant de longs mois, Rosie n'arbore pas son grand sourire habituel.

> « Je n'ai pas l'intention d'épouser qui que ce soit en temps de guerre », écrivait Rosie Langheldt dans son journal. Elle avait la sagesse de reconnaître que l'atmosphère survoltée et le mal du pays pouvaient conduire à de mauvais choix. C'est du moins ce qu'elle pensait avant de rencontrer Bob Norwalk...

Deuxième d'une famille de cinq enfants, Bob grandit en banlieue d'Indianapolis. Ses grands-parents, les Nowak, des immigrés originaires de Pologne, avaient adopté le patronyme Norwalk, car il était difficile, à l'époque, d'obtenir du travail si l'on portait un nom de famille polonais. Sa famille étant plutôt pauvre, Bob dut travailler comme caddie de golf durant son adolescence tout en poursuivant ses études secondaires. Il fit un an de collège avant d'accepter un poste de représentant de commerce pour une entreprise d'outillages spécialisés où il connut un certain succès. Il gagnait 300 $ par mois de commissions lorsque la guerre éclata, mais il considéra pourtant qu'il était de son devoir patriotique de s'enrôler. C'est ainsi qu'il intégra l'école d'officiers de Camp Lee en Virginie. Il y suivit son entraînement militaire tout en entretenant une correspondance assidue avec une ex-petite amie, Béatrice. Comme il se sentait très seul, loin de chez lui, et comme il partageait sa chambre avec un jeune marié qui lui vantait sans cesse les merveilleux bienfaits du mariage, il se persuada qu'il était amoureux de Béatrice et l'épousa dès qu'il obtint son diplôme. Mais tous deux se rendirent vite compte de leur erreur.

Ils décidèrent néanmoins de faire en sorte que leur mariage fonctionne et, lorsque Bob fut affecté à La Nouvelle-Orléans avec le Corps d'intendance de l'armée, Béatrice l'accompagna. Ensemble, ils eurent un enfant, un fils prénommé Bobby. Ils espéraient ardemment que cet événement heureux les rapprocherait, mais les longues nuits sans sommeil et les exigences de leur nouveau statut de parents eurent raison du couple. En juin 1943, lorsque Bob apprit qu'il allait être envoyé en Europe, ils prirent la décision de se séparer. Cependant, tous deux se mirent d'accord pour attendre le retour de Bob avant de divorcer.

Lorsque les États-Unis entrèrent en guerre, traverser l'océan Atlantique avec des hommes et des fournitures était périlleux en raison du nombre considérable de sous-marins allemands qui sillonnaient les mers, mais en 1943, en dépit des attaques ennemies, il y eut un accroissement sensible du trafic maritime. En juillet 1943, Bob débarqua à Southampton, sur la côte sud de l'Angleterre, en compagnie du 14e Corps des transports de l'Armée des États-Unis. Dès qu'il mit pied à terre, il se rendit immédiatement compte de la tâche colossale qui l'attendait. En effet, la ville avait été soumise à 57 raids aériens intenses jusqu'en juillet 1943, date à laquelle Bob était arrivé en

Avril 1945, Bob, à gauche, et son ami Tom Carver passent une semaine de permission à Paris.

Angleterre. Le port et le centre-ville étaient en grande partie détruits. Cependant, il était de la responsabilité de son équipe de faire débarquer 120 000 soldats américains par mois ainsi que des centaines de milliers de tonnes d'équipement tout en s'assurant que ces troupes et ce matériel se rendent à destination. Durant les deux années suivantes, 3,5 millions de soldats transitèrent par Southampton et loger ces troupes était parfois si difficile que les hommes devaient pratiquer la «double occupation» – c'est-à-dire qu'ils devaient partager leur lit avec des soldats qui dormaient à des heures différentes. Des péniches de débarquement étaient arrimées par dizaines le long des quais tandis que des tanks, des jeeps et d'immenses entrepôts de munitions étaient déployés autour. Les Alliés préparaient activement leurs débarquements sur le continent, mais personne ne savait encore précisément quand ils auraient lieu.

En sa qualité d'officier de coordination adjoint, chargé de superviser et de coordonner les mouvements de troupes à Southampton, Bob jouait un rôle clé dans la préparation du jour J. À Southampton, tout se déroula d'ailleurs comme prévu – selon le commandant du port, le colonel Kiser, «jamais un vaisseau ne rata son convoi» – et les débarquements du jour J, les 6 et 7 juin 1944, permirent aux Alliés d'établir une tête de pont en Normandie. Ce fut une réussite logistique exceptionnelle, difficile à planifier et à mettre en œuvre pour Bob et ses collègues, mais leur mission était loin d'être terminée. En effet, peu de temps après le jour J, des troupes supplémentaires durent être envoyées en Normandie et les cadavres des premières victimes des combats commencèrent à affluer à Southampton.

Dommages liés aux bombardements à Southampton – 2 300 bombes et plus de 30 000 engins incendiaires furent largués sur la ville, ce qui entraîna la destruction partielle ou totale de près de 45 000 immeubles.

En août 1944, la vie de Bob s'illumina lorsqu'une fort jolie Californienne rejoignit les rangs de la Croix-Rouge américaine à Southampton. Chaque matin, Rosie Langheldt entrait dans son bureau pour s'informer sur les mouvements de bateaux prévus durant la journée. À cette occasion, ils échangeaient toujours quelques mots innocents et amicaux avant de reprendre leur travail respectif. Bob n'osait pas lui proposer de sortir avec lui. Comment aurait-il pu? Sa situation était bien trop compliquée.

Volontaire auprès de la Croix-Rouge américaine

Rosie était originaire de Berkeley, en Californie, où elle avait grandi auprès de ses parents et de sa sœur, Marty. Lorsque les États-Unis entrèrent officiellement en guerre, elle travaillait dans une boutique de luxe, où elle vendait des manteaux en vison et des chaussures de marque. Elle ne voulut plus mener une vie aussi facile alors que tant d'hommes et de femmes risquaient leurs vies à l'étranger. En conséquence, elle se porta volontaire auprès de la Croix-Rouge américaine, mais on l'informa que, pour être acceptée, elle devait être âgée d'au moins 25 ans. Elle dut donc attendre et, le 4 mai 1944, elle reçut une lettre l'informant qu'elle pouvait se présenter au travail. Elle aurait pu être envoyée n'importe où dans le monde – les filles n'étaient pas informées de leur destination finale, et ce, même après leur embarquement à New York –, mais le 21 juillet elle arriva à Londres, où elle fut accueillie par le son des sirènes,

PORTS SECRETS

Lorsqu'ils planifièrent le débarquement, les Alliés furent confrontés à un grave problème: comment contourner les puissants dispositifs défensifs des Allemands dans tous les ports de la Manche? Ils décidèrent de construire en Grande-Bretagne des ports artificiels flottants, les Mulberry, puis de les acheminer jusqu'à la côte française. Ils étaient constitués de jetées et de digues artificielles reposant sur des chandelles d'acier fixées sur le fond marin pour permettre aux véhicules militaires de débarquer sur les plages. L'assemblage s'effectua dans le plus grand secret à Southampton, sans que les ouvriers sachent à quoi ils travaillaient. Le 9 juin 1944, deux ports Mulberry furent remorqués à travers la Manche; l'un d'entre eux demeura opérationnel durant dix mois, ce qui permit de débarquer un demi-million de véhicules militaires, 2,5 millions de soldats et 4 millions de tonnes d'équipement à Arromanches, en Normandie.

Le 23 octobre 1944, un gros camion roule sur un port artificiel Mulberry avant de débarquer sur la plage d'Omaha.

qui prévenaient la population d'une attaque imminente de missiles V-2. À travers la fenêtre du train, qui la conduisait à son affectation, elle distingua dans les airs un petit avion « qui traînait derrière lui un long panache de fumée » et elle compta jusqu'à dix avant d'entendre le bruit d'une explosion qui résonna longtemps à ses oreilles.

Découvrir Londres en temps de guerre fut, pour Rosie, un véritable choc culturel. Après quelques semaines, elle écrivit à ses parents pour qu'ils lui envoient d'urgence un colis de nourriture, car « celle-ci était au mieux médiocre, et au pire abominable ». Le soir, lorsqu'elle regagnait son domicile, souvent il n'y avait pas d'eau chaude pour prendre un bain et elle devait déposer des pièces de monnaie dans un compteur pour obtenir une demi-heure de chauffage. La nuit, elle entendait le bruit des rats qui grattaient contre les murs et elle trouvait le climat londonien déprimant, même en été. Toutefois, dès le début, elle aima son travail et les gens qu'elle côtoyait.

Rosie fut transférée à Southampton après avoir appris à conduire des Clubmobiles, de grandes fourgonnettes munies de panneaux latéraux qui se soulevaient afin que les filles de la Croix-Rouge puissent servir des beignets et du café chaud aux troupes alliées qui débarquaient ou qui embarquaient. Tout en servant des boissons chaudes, Rosie et ses amies discutaient avec les soldats afin de leur remonter le moral. Rosie était si efficace dans ses fonctions qu'elle fut promue capitaine en décembre 1944, puis superviseure en août 1945. Son travail était éprouvant : le 23 décembre 1944, elle alla saluer les marins du transporteur de troupes SS *Léopoldville* et elle fut complètement dévastée, le lendemain, lorsqu'elle apprit que ce paquebot avait été torpillé par un sous-marin allemand au large de Cherbourg dans la Manche, entraînant la mort de 763 soldats. De plus, durant cet hiver anglais froid et humide, elle attrapa une pneumonie, mais elle continua son travail, car elle savait que sa contribution à l'effort de guerre était utile.

Durant leur formation, les filles de la Croix-Rouge avaient été mises en garde contre les périls auxquels elles pourraient être confrontées en évoluant dans des lieux de travail

Automne 1944. Rosie et sa meilleure amie Ski à bord d'une Clubmobile, qu'elles avaient baptisée « le Joker ». Elles servaient du café et des beignets aux soldats à travers un panneau coulissant à l'arrière du véhicule.

où chaque femme était entourée de centaines d'hommes. Cependant, la meilleure amie de Rosie, Isabel (surnommée Ski), et bien d'autres filles tombèrent amoureuses des hommes qu'elles fréquentaient. Rosie, qui était la plus sensée d'entre elles, leur conseillait néanmoins d'attendre que la guerre soit terminée et de mieux connaître leurs prétendants avant de prendre une décision. «S'il s'agit vraiment d'amour, il survivra à l'épreuve du temps», déclarait-elle sagement. Elle aussi fréquentait des hommes – elle adorait danser et ne rechignait pas à se divertir –, mais elle les prévenait dès le départ qu'elle n'était pas intéressée par une relation sérieuse.

> « *Je l'ai mentalement classé dans la catégorie des "chics types"* — *il y a une femme ici-bas qui est très chanceuse.* »

Lorsqu'elle rencontra Bob Norwalk pour la première fois, elle pensa: «Voilà quelqu'un qu'on ne peut pas ne pas remarquer», mais une amie la prévint qu'il était marié. Voici comment elle le décrivit dans une lettre qu'elle adressa ultérieurement à ses parents: «Je l'ai mentalement classé dans la catégorie des "chics types" – il y a une femme ici-bas qui est très chanceuse.»

En octobre 1944, Rosie (au centre gauche) assiste à la «Cérémonie du millionième Américain», organisée sur les quais de Southampton. L'homme en question, un soldat originaire de Pennsylvanie, fut bouleversé par l'accueil qu'il reçut à cette occasion.

LA CROIX-ROUGE

Les femmes qui travaillaient pour la Croix-Rouge durant la Seconde Guerre mondiale n'étaient pas des infirmières, comme lors de la Première Guerre mondiale. Elles avaient en fait pour mission d'assister les forces armées et les populations civiles dans les zones affectées par la guerre, ce qui incluait l'envoi de colis aux prisonniers de guerre, la transmission des messages et des lettres que les prisonniers de guerre envoyaient à leurs proches et la vérification des conditions de détention dans les camps de prisonniers. Elles écrivaient des lettres pour les blessés, organisaient des activités sociales et géraient des maisons où les soldats épuisés pouvaient venir se reposer. Lorsque les Grecs connurent la famine après l'occupation d'avril 1941, la Croix-Rouge organisa des expéditions urgentes de céréales. Cependant, les volontaires de la Croix-Rouge ne purent intervenir que dans les pays ayant signé la Convention de Genève, ce qui excluait l'Union soviétique et le Japon. Après la guerre, ils aidèrent à retrouver les personnes disparues et organisèrent des transports afin que les épouses de guerre puissent rejoindre leurs maris.

Le grand moment de leurs vies

Bob dut attendre le mois de janvier 1945 pour trouver le courage de demander à Rosie de sortir avec lui. Elle hésita avant de répondre : «Désolée, je ne sors pas avec des hommes mariés.» Une conseillère expérimentée de la Croix-Rouge, qui se prénommait Pop et qui connaissait fort bien la situation de Bob, poussa néanmoins Rosie à accepter cette invitation. Celle-ci se laissa donc fléchir, mais elle posa néanmoins une condition : elle tenait absolument à ce que son amie Ski se joigne à eux en compagnie de son amoureux, Tom. Finalement, après qu'elle eut donné son accord, ils allèrent tous les quatre danser à l'hôtel Polygon de Southampton, où Rosie découvrit les talents de

Durant la guerre, les volontaires de la Croix-Rouge accomplirent les tâches les plus diverses. Servir du café et des beignets à des garçons qui avaient le mal du pays, et qui étaient parfois âgés de seulement 18 ans, permit de rehausser sensiblement le moral des troupes.

danseur de Bob. Il lui avoua alors que sa sœur aînée pratiquait chaque matin avec lui ses pas de danse tandis qu'ils attendaient l'autobus scolaire. Ce fut une soirée très réussie, mais Rosie était préoccupée. En effet, de nombreux hommes considéraient la guerre comme le moyen idéal de «se défouler librement» en se libérant temporairement des liens du mariage.

Rosie et Bob étaient déjà sortis ensemble à quelques reprises lorsque Bob l'invita, un soir, à faire une longue promenade, au cours de laquelle il lui expliqua que lui et sa femme, Béatrice, avaient pris la décision de divorcer dès son retour. Il reconnut avoir commis une erreur en se mariant trop jeune et pour les mauvaises raisons tout en reconnaissant qu'il était perturbé à l'idée de ne plus pouvoir rester en contact avec son fils dans les années à venir. Rosie lui manifesta sa sympathie et accepta de continuer à sortir avec lui, à la condition expresse de ne pas prendre cette histoire trop au sérieux. Ce qui évidemment était plus facile à dire qu'à faire.

> « *Tandis qu'ils riaient aux éclats, ils prirent conscience qu'ils étaient de plus en plus amoureux l'un de l'autre.* »

Ils avaient une vie sociale très active – ils allaient danser avec des amis et exploraient la campagne anglaise lors de leurs permissions – et Rosie sentait bien qu'elle était de plus en plus attirée par la forte personnalité de Bob et par son sens de l'humour. Un jour, ils assistèrent pour la première fois à une messe de l'Église d'Angleterre. Plus tard, alors qu'ils venaient tout juste de sortir de l'église et se dirigeaient vers le mess des officiers, Bob entonna d'une voix haut perchée : «Maintenant, faudrait trouver quelqu'un pour jouer aux domiiiiiiinos.» Tandis qu'ils riaient aux éclats, ils prirent conscience qu'ils étaient de plus en plus amoureux l'un de l'autre. En Écosse, ils firent un séjour romantique sur les berges du loch Lomond. Bob était ébloui par cette femme étonnante qui se liait d'amitié avec toutes les personnes qu'elle rencontrait. Et Rosie, qui voyait bien à quel point Bob se démenait pour la séduire, informa sa famille qu'elle était amoureuse. À la fin du mois d'octobre 1945, Bob écrivit lui aussi aux parents de Rosie pour leur demander la permission d'épouser leur fille : «En toute honnêteté, je dois avouer que je n'ai jamais rencontré une personne comparable. Je consacrerai ma vie à la rendre heureuse.» Ils lui répondirent qu'ils seraient enchantés de l'accueillir au sein de leur famille.

Quatre mois pour penser à l'avenir

Le 12 décembre 1945, Bob fut démobilisé et renvoyé aux États-Unis. Rosie écrivit alors dans son journal : «Ce matin, le climat est à l'image de mon humeur. Absolument exécrable.» Elle savait pourtant que Bob allait profiter de cette séparation pour régler les derniers détails de son divorce afin qu'ils puissent se marier dès son retour – elle n'eut jamais le moindre doute à ce sujet. Toutefois, comme ses journées étaient bien remplies, elle n'eut pas le temps de se lamenter. Le 19 décembre, elle fut très honorée lorsqu'elle fut présentée à la reine d'Angleterre lors d'un après-midi dansant organisé au palais de Buckingham. Et en janvier 1946, elle fut profondément émue quand elle visita le camp de concentration de Dachau, lors d'une mission visant à offrir les services de la Croix-Rouge dans le sud-est de l'Allemagne.

En avril 1946, alors qu'elle traversait l'océan Atlantique en direction des États-Unis, elle s'amusa à consigner dans son journal les points positifs et négatifs de la personnalité de Bob – les seuls aspects négatifs auxquels elle put penser étaient qu'il assaisonnait sa nourriture de ketchup et qu'il salait et poivrait tous ses plats avant même de les avoir goûtés! Les aspects positifs incluaient son honnêteté, sa force de caractère et «ses yeux, qui étincelaient de malice aussi puissamment qu'ils rayonnaient d'amour». Lorsqu'elle débarqua à New York, elle prit aussitôt un train en direction de Chicago, afin de le rejoindre. Dès qu'ils se revirent, ils se jetèrent dans les bras l'un de l'autre. Bob lui apprit alors que son divorce avait été prononcé et que plus rien ne pourrait désormais s'opposer à leur bonheur.

De Chicago, ils se rendirent tout d'abord à Indianapolis afin qu'elle puisse rencontrer la famille de Bob, qui l'adora d'emblée et lui fit un accueil des plus chaleureux, puis ils poursuivirent leur périple jusqu'en Californie, où ils se marièrent, le 30 juillet 1946, dans la maison des parents de Rosie. Ils passèrent leur nuit de noces dans le luxueux hôtel Fairmont, dans le quartier de Nob Hill à San Francisco, puis ils visitèrent la Californie avant de reprendre la route en direction de Saint-Louis où Bob avait décroché un emploi.

En 1951, Marty, la sœur de Rosie, organisa une rencontre afin que Bob puisse discuter de ses projets professionnels avec la famille Rabel, propriétaire de l'entreprise Star Machinery Company à Seattle. La direction de l'entreprise lui offrit un poste de vendeur de machines-outils. Rosie était enchantée, car cette promotion signifiait qu'ils vivraient désormais sur la côte Ouest, ce qui les rapprochait considérablement de sa famille. Bob, qui avait débuté au sein de cette entreprise comme simple agent commercial, fut ensuite nommé directeur des ventes, puis vice-président – ce que ses proches considéraient pour le moins ironique, car il n'avait pas un esprit technique et était totalement incapable d'opérer les machines et les

Le mariage de Bob et Rosie en Californie, le 30 juillet 1946. Les membres de la famille de Bob ne purent assister à la cérémonie, mais ils aimèrent Rosie dès la première rencontre.

The Master of the Household
has received The Queen's commands
to invite Miss Rosemary Langhelar
to an Afternoon Party at Buckingham Palace
on Tuesday the 18th December 1945
from 4 p.m to 5.30 p.m.

outils qu'il vendait. Une fois installée à Seattle, Rosie trouva un emploi de rédactrice publicitaire puis donna naissance à deux enfants, Martha et Tom. Par ailleurs, Bob ne cessa jamais de payer la pension alimentaire de son fils Bobby, né de son premier mariage, mais les efforts qu'il fit pour le revoir se heurtèrent à une telle résistance qu'il dut avec tristesse se résoudre à lâcher prise. Pour célébrer le 50e anniversaire de mariage de leurs parents, Martha et Tom assemblèrent une vidéo réunissant les vieilles photographies de leurs parents, de l'époque de leur rencontre à Southampton jusqu'au jour de la cérémonie, avec une bande-son reprenant leurs chansons favorites. Après la mort de Rosie en 2002, Bob reçut un diagnostic de démence et sa mémoire ne tarda pas à se détériorer. Pourtant, en dépit de son état qui se dégradait sans cesse, il visionna la vidéo chaque jour jusqu'à la fin de sa vie. La larme à l'œil et le sourire aux lèvres, il se souvenait alors de cette femme extraordinaire, cette femme qu'il avait rencontrée tant d'années auparavant à Southampton, une ville dévastée par la guerre.

Au palais de Buckingham, Rosie rencontra le roi et la reine ainsi que la princesse Elizabeth et la princesse Margaret Rose. «C'était une si belle famille que j'en ai presque eu le vertige», dit-elle.

Durant son séjour à Southampton, Rosie collectionna les insignes de différents services des forces armées, qu'elle cousait à l'intérieur de sa veste. Des décennies plus tard, cette collection était d'une valeur inestimable.

Raymond et Lucie *Aubrac*

CARTE D'IDENTITÉ

RAYMOND SAMUEL
NOM

FRANÇAISE
NATIONALITÉ

31 JUILLET 1914
DATE DE NAISSANCE

RÉSISTANT
FONCTION

LIBÉRATION-SUD
AFFECTATION

SECONDE GUERRE MONDIALE · MARIÉ 14 DÉC. 1939 · HISTOIRE D'AMOUR

LUCIE BERNARD
NOM

FRANÇAISE
NATIONALITÉ

29 JUIN 1912
DATE DE NAISSANCE

RÉSISTANTE
FONCTION

LIBÉRATION-SUD
AFFECTATION

SECONDE GUERRE MONDIALE · MARIÉE 14 DÉC. 1939 · HISTOIRE D'AMOUR

Lucie Aubrac en 1943,
alors qu'elle enseignait
dans une école de Lyon.

La première fois que le héros de la Résistance française, Raymond Aubrac, fut arrêté par les Allemands, sa femme Lucie l'aida à s'échapper; la fois suivante, elle négocia sa libération; puis, lorsqu'il fut de nouveau arrêté et condamné à mort, elle organisa un plan d'évasion audacieux.

Lucie avait été une enfant très intelligente. Après de brillantes études universitaires, elle obtint le titre de licenciée ès lettres, puis prépara avec succès l'agrégation d'histoire et géographie, ce qui lui permit d'enseigner dans des lycées et des universités. En 1938, elle obtint une bourse d'études pour aller étudier aux États-Unis, mais le destin intervint. À Strasbourg, où elle enseignait, des amis communs lui présentèrent Raymond qui venait de rentrer des États-Unis, où il avait eu une bourse pour étudier en génie civil au Massachusetts Institute of Technology (MIT), et qui effectuait son service militaire comme officier du génie. Elle l'interrogea sur son expérience américaine et ils tombèrent amoureux.

Pourtant, Lucie et Raymond provenaient de milieux très différents. Les parents de Lucie étaient de modestes vignerons en Bourgogne et elle avait grandi à la campagne. Raymond était le fils de commerçants juifs aisés, propriétaires d'un magasin de confection à Vesoul, en Haute-Saône. Tous deux étant proches de l'idéologie communiste, qu'ils considéraient comme l'ultime rempart contre le fascisme et le racisme, ils ne tardèrent pas à se découvrir de nombreux points communs. Le 14 mai 1939, ils devinrent amants et le 14 décembre de la même année, ils se marièrent à Dijon.

Il la prévint qu'épouser un juif pourrait être dangereux pour elle, mais elle consigna dans son journal : «Cette mise en garde ne fit que renforcer ma détermination.»

Dans les rangs de la Résistance

En juin 1940, lorsque la France fut vaincue par l'Armée allemande, Raymond fut fait prisonnier. Toujours pleine de ressources, Lucie alla voir le frère de Raymond, un médecin, qui lui donna des pilules provoquant la fièvre. Elle parvint à transmettre ces pilules à Raymond qui les absorba, tomba malade puis fut transféré dans un hôpital voisin, géré par la Croix-Rouge, d'où il réussit à s'évader en escaladant un mur.

Intrépides, ingénieux et déterminés, Lucie et Raymond avaient des caractères très similaires.

LA RÉSISTANCE

De nombreux groupes résistèrent à l'occupation nazie. Plus de 1 000 journaux clandestins virent le jour. Des aviateurs alliés, dont les avions avaient été abattus, retrouvèrent la liberté après avoir été exfiltrés clandestinement en empruntant des filières de contrebande («ratlines» en anglais, «enfléchures» en français, du nom des échelles de corde auxquelles s'accrochaient les marins et les rats quand un navire coulait). Ils sabotèrent le système ferroviaire français afin de freiner les troupes allemandes. Le 5 juin 1944, tous les groupes de la Résistance entendirent à la radio le message codé «Messieurs, faites vos jeux», qui les informait que le jour J était imminent. Plus de 150 000 Français entreprirent alors de ralentir l'Armée allemande en Normandie: les lignes télégraphiques furent détruites, les lignes de chemin de fer coupées et les troupes allemandes furent harcelées. Il fallut deux semaines à la 2e Division blindée allemande pour se rendre en Normandie, ce qui permit aux forces alliées de bien s'implanter en territoire français.

Lucie et Raymond auraient pu alors émigrer aux États-Unis – on lui avait offert un poste d'enseignant à Boston et elle aurait pu se prévaloir de la bourse d'études qu'elle avait obtenue quelque temps auparavant –, mais ils jugèrent qu'en agissant ainsi, ils trahiraient leur pays. Ils prirent donc la décision courageuse et fatidique de rester en France et de combattre l'occupation allemande par tous les moyens possibles.

Le couple s'installa à Lyon, dans la zone libre encore non occupée par les troupes allemandes. À l'automne 1940, dans un café du centre-ville, Lucie rencontra Emmanuel d'Astier de La Vigerie, un journaliste qui avait créé une organisation antinazie et antivichyste, dénommée «La dernière colonne». Cette rencontre décisive poussa Raymond et Lucie à en rejoindre rapidement les rangs. Au début, leur résistance à l'occupant se manifesta essentiellement par des actes de désobéissance civile – diffusion de tracts, inscription de graffitis hostiles aux forces allemandes, distribution clandestine du journal *Libération*. En mai 1941, après la naissance de leur fils Jean-Pierre, Lucie accepta un poste d'enseignante dans un lycée de jeunes filles alors que Raymond était engagé, en qualité d'ingénieur, pour réparer la piste d'atterrissage de l'aéroport de Bron. Ils vivaient alors dans une petite maison de l'avenue Esquirol et ils employaient une bonne, Maria. En apparence, ils menaient une vie plutôt normale de Français de la classe moyenne. Cependant, alors que la guerre faisait rage, leur vie devint de plus en plus compliquée, et leur implication au sein du groupe Libération-Sud, de plus en plus dangereuse.

Pour des raisons de sécurité, Raymond utilisait quatre noms différents – Vallet, Ermelin, Balmont et Aubrac. En mars 1943, lorsqu'il fut arrêté à la suite d'une vérification de routine, il présenta des pièces d'identité au nom de François Vallet. À cette époque, le sud de la France était occupé par les forces nazies et Klaus Barbie, le chef de la Gestapo de la région lyonnaise, avait établi ses quartiers généraux à Lyon. Heureusement,

La une du journal Libération, *le 1er mai 1943. Des imprimeurs sympathiques à la cause permettaient aux résistants d'utiliser leurs imprimantes durant la nuit.*

les Allemands ne se doutaient pas que l'homme qu'ils avaient arrêté était membre du réseau Libération-Sud, qui avait fusionné depuis peu avec sept autres groupes de la Résistance française pour former le Conseil national de la Résistance. Ils ne savaient pas non plus que des réunions secrètes se tenaient régulièrement dans la maison de l'avenue Esquirol, où se cachaient de nombreux fugitifs, et que Raymond et Lucie distribuaient des armes et de faux papiers d'identité, rédigeaient des articles dans le journal *Libération* et étaient totalement impliqués dans les activités de la Résistance dans la région lyonnaise.

Raymond fut détenu durant deux mois et interrogé à maintes reprises, mais il parvint à convaincre ses geôliers qu'il n'était qu'un simple trafiquant du marché noir. Lucie engagea un avocat pour accélérer les démarches, mais elle dut néanmoins plaider sa cause en personne auprès du procureur français pour obtenir la remise en liberté provisoire de son mari. Pour le convaincre, elle prétendit, d'une part, qu'elle était une émissaire du général de Gaulle

> « *Ce type est un collaborateur, donc un lâche. Si je parle plus fort que lui, je suis sûre de gagner.* »

et que le procureur risquait la mort si François Vallet — le nom d'emprunt sous lequel Raymond avait été arrêté — n'était pas immédiatement libéré. «Ce type est un collaborateur, donc un lâche. Si je parle plus fort que lui, je suis sûre de gagner», pensa-t-elle. Elle insista et exigea que son mari soit de retour à la maison le 14 mai au plus tard. En effet, pour eux c'était un jour spécial, car c'était un 14 mai qu'ils avaient consommé leur relation quatre ans plus tôt. Son vœu fut exaucé et, le 14 mai 1943, au terme d'heureuses retrouvailles, elle tomba enceinte de son deuxième enfant.

Le 21 juin 1940, après que leur division eut traversé la Loire, des officiers allemands entrent à Lyon en motocyclette.

La grande évasion

Le 9 juin 1943, le général Delestraint, qui était alors le chef du Conseil national de la Résistance, fut arrêté à Paris ainsi que de nombreux membres de l'équipe dirigeante. Le représentant du général de Gaulle, Jean Moulin, qui avait réussi à unifier la Résistance, entreprit immédiatement de restructurer les échelons supérieurs du mouvement pour rétablir une chaîne de commandement fonctionnelle. Le 20 juin, Lucie et Raymond, accompagnés du petit Jean-Pierre qui leur servait de couverture, le rencontrèrent dans un parc de Lyon. Lorsque Jean Moulin demanda à Raymond s'il accepterait de s'installer à Paris, Lucie se porta immédiatement volontaire pour l'accompagner, et ce, en dépit des dangers encourus. L'après-midi suivant, Raymond fut convoqué à une réunion secrète, organisée dans un cabinet médical de Caluire, une commune limitrophe de Lyon. Il devait y rencontrer Jean Moulin et six autres dirigeants de la Résistance pour régler d'urgence des conflits internes entre le Conseil national et les mouvements de Résistance en zone Sud. Raymond proposa à Lucie de le retrouver après en un lieu convenu, près du fleuve, mais jamais il ne reparut, car la réunion à laquelle il assistait fut interrompue par des officiers de la Gestapo, qui arrêtèrent toutes les personnes présentes – quelqu'un les avait trahis !

Déraillement d'un train à la suite d'un sabotage de la Résistance à Vassieux-en-Vercors, dans le sud-est de la France.
En juin 1944, une campagne massive de déraillements et de sabotage des voies de chemin de fer fut conduite par la Résistance afin d'entraver les mouvements des troupes allemandes, alors qu'elles essayaient de se déployer en Normandie après le jour J.

Deux jours plus tard, Lucie fit preuve d'un courage exemplaire lorsqu'elle se rendit à la prison et demanda à parler à l'officier responsable. Elle rencontra le chef de la Gestapo, Klaus Barbie lui-même, à qui elle raconta l'histoire suivante : elle prétendit être une aristocrate, nommée Ghislaine de Barbentane, dont le fiancé, Claude Ermelin, avait été arrêté par erreur alors qu'il venait consulter un médecin pour un problème pulmonaire ; de plus, comme elle était enceinte de lui, il était impératif qu'il soit libéré au plus vite et qu'il l'épouse avant que ses parents se rendent compte de son état et que sa réputation soit à jamais détruite.

Barbie ouvrit un tiroir d'où il sortit une pile de papiers qu'il jeta sur son bureau. Parmi ces documents se trouvait une photographie de Lucie, sur la plage, avec un enfant à ses côtés. Elle dut réagir rapidement, mais parvint à le convaincre qu'il s'agissait de l'enfant d'une amie.

– Depuis combien de temps connaissez-vous ce prisonnier, lui demanda Barbie.

– Six semaines, lui répondit-elle nerveusement.

– Son nom n'est pas Ermelin, mais Vallet, déclara-t-il. Il est hors de question que nous le relâchions. C'est un terroriste.

Lucie éclata en sanglots et le supplia, mais Barbie ne se laissa pas fléchir. Durant les semaines qui suivirent, elle tenta par tous les moyens d'établir le contact avec Raymond ou avec les autres résistants qui avaient été arrêtés, mais elle se heurta à un mur et ne put obtenir la moindre information. À la fin du mois d'août, elle fut dévastée lorsqu'elle apprit que Raymond avait été condamné à mort. Certains de ses compagnons de détention ayant déjà été exécutés, Lucie devait donc agir le plus rapidement possible.

La planification de l'évasion de son mari ne l'empêcha pas de participer à d'autres opérations. Le 6 septembre, elle se fit passer pour un médecin afin de prendre contact, à l'hôpital de Saint-Étienne, avec quatre résistants blessés, qui avaient été arrêtés dans cette ville. Pour organiser leur exfiltration, deux de ses camarades, déguisés en agents de la Gestapo, prétendirent devoir conduire les prisonniers à un interrogatoire et se firent confier la garde des résistants blessés.

Entre-temps, Lucie contacta un vieux colonel allemand qu'elle convainquit de la laisser épouser son fiancé avant que celui-ci ne soit exécuté, et ce, afin que l'enfant à naître ne soit pas illégitime. Pour ce faire, elle dut répéter son histoire à maintes reprises et à différentes personnes. Elle dut aussi payer de nombreux pots-de-vin avant que les autorités allemandes acceptent finalement que le mariage soit célébré le 21 octobre. Le jour venu,

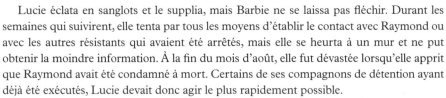

Jean Moulin en 1942. Il portait toujours une écharpe autour du cou pour dissimuler la cicatrice qu'il s'était infligée lors d'une tentative de suicide, après avoir été capturé par les Allemands en 1940.

le faux mariage fut célébré et, alors que Raymond était reconduit sous escorte à la prison, son convoi fut attaqué par les membres de la Résistance, qui le libérèrent ainsi que 13 autres prisonniers. Lors de cette évasion, il fut blessé d'une balle dans la joue. Il était très amaigri et son corps portait les cicatrices des tortures que lui avait fait subir la Gestapo, mais il était en vie.

Jean Moulin ne fut pas aussi chanceux. Il mourut le 8 juillet, peu de temps après son arrestation. Certains rapports conclurent qu'il avait été torturé à mort par Klaus Barbie.

La fuite vers Londres

Les policiers de la Gestapo, qui étaient rapidement parvenus à déterminer l'endroit où Raymond et Lucie vivaient, se rendirent à la maison de l'avenue Esquirol où ils interrogèrent leur bonne, Maria. À la suite de cette visite, les parents de Raymond furent discrètement informés qu'ils devaient impérativement changer d'adresse et le petit Jean-Pierre fut retiré de son école et mis en lieu sûr, dans les montagnes environnantes. Lucie et Raymond se cachèrent à Lyon durant un mois, puis ils se réfugièrent dans une installation secrète située à Pont-de-Vaux, dans l'est de la France. Durant les mois qui suivirent, ils se déplacèrent de cache en cache, sous la protection des membres de la Résistance locale. Le 4 décembre, ils apprirent avec stupeur que les parents de Raymond avaient été arrêtés; celui-ci essaya de découvrir où ses parents étaient détenus de façon à pouvoir organiser leur évasion, mais à son grand désespoir il ne put rien faire pour eux.

Écouter la BBC était pour Lucie et Raymond la seule source d'informations en provenance du monde extérieur; les transmissions étaient parfois brouillées, mais ils étaient heureux de savoir que bon nombre de leurs collègues de la Résistance avaient pu rejoindre le général de Gaulle, qui avait pris son nouveau quartier général à Alger. Cependant, Ils durent attendre la nuit du 8 février 1944 avant de pouvoir finalement s'envoler en direction

Les messages transmis par radio étaient d'une importance cruciale. Ils permirent d'unifier les différentes composantes de la Résistance française, d'établir des stratégies communes et de recevoir des messages et des instructions de Londres.

LE BOUCHER DE LYON

Klaus Barbie fut élevé par un père violent et alcoolique qui mourut alors qu'il avait 18 ans. Après s'être enrôlé au sein des Jeunesses hitlériennes, Barbie fut admis en 1935 dans la SS puis il rejoignit en 1938 les rangs de l'armée. En novembre 1942, il fut nommé chef de la Gestapo de la région lyonnaise. Il y acquit une réputation d'homme brutal. Il tortura personnellement de nombreux prisonniers – dont des femmes et des enfants – en recourant à des méthodes extrêmes, comme l'électrocution, le supplice de l'eau ou les sévices sexuels; on l'accusa même d'avoir écorché vives certaines de ses victimes. Après la guerre, il fut recruté par les services du contre-espionnage américain, qui souhaitaient obtenir des informations sur la pénétration communiste en Europe. Ils le firent ensuite exfiltrer vers l'Argentine. En 1972, le chasseur de nazis, Beate Klarsfeld, retrouva sa trace en Bolivie. Après bien des péripéties, Klaus Barbie fut extradé vers la France où il fut jugé en 1987. Lors de son procès, où il dut répondre à 41 accusations de crime contre l'humanité, il ne manifesta aucun remords. Reconnu coupable, il fut condamné en juillet 1987 à la détention à perpétuité. Il mourut en prison quatre ans plus tard.

de l'Angleterre. Comme l'enfant que Lucie portait était attendu entre le 10 et le 15 février, ils furent soulagés d'apprendre qu'il y aurait un médecin à bord de l'avion qui devait décoller du petit aéroport de Villevieux. Ils voyagèrent de nuit et se posèrent le lendemain, à 7 heures du matin, dans un aéroport situé en banlieue de Londres. Trois jours plus tard, le 12 février, leur bébé naquit – une fille qu'ils prénommèrent Catherine, le nom de code de Lucie au sein de la Résistance. À cette époque, ils avaient déjà pris la décision de porter le nom d'Aubrac, un des noms que Raymond avait utilisés à Lyon.

Dès qu'ils le purent, Lucie et Raymond se rendirent à Alger pour rejoindre le gouvernement en exil. Le général de Gaulle annonça que, lorsque la France serait libérée, les femmes auraient le droit de voter. Peu de temps après, Lucie fut invitée à siéger à l'Assemblée consultative d'Alger comme représentante de Libération-Sud, devenant ainsi la première Française à siéger au sein d'une assemblée parlementaire. En août 1944, Raymond fut nommé commissaire régional de la République à Marseille, et le couple revint s'installer en France. Raymond avait pour mission d'établir l'autorité du Gouvernement provisoire de la République française sur les zones libérées, mais comme de nombreux autres commissaires, il en profita pour purger les forces de police et en expulser les collaborateurs. Il fit aussi tout ce qui était en son pouvoir pour retracer ses parents; il apprit alors que ceux-ci avaient été envoyés dans le camp de concentration d'Auschwitz où ils n'avaient pas survécu.

Après la guerre

Raymond et Lucie témoignèrent lors de différents procès pour crimes de guerre; ils furent aussi étroitement impliqués dans les comités de reconstruction, mais leurs sympathies communistes dissuadèrent de Gaulle de leur confier des postes de haute responsabilité. Ils étaient si proches d'Hô Chi Minh, le dirigeant communiste du Viêt Nam, que celui-ci accepta d'être le parrain de leur troisième enfant, une fille née en 1946.

Après la guerre, Lucie reprit un poste d'enseignante et Raymond fonda un bureau d'études et de recherches, spécialisé dans la conception et la construction d'ouvrages de génie civil. Bien des années plus tard, en 1972, Klaus Barbie fut arrêté en Bolivie. En 1983, il fut extradé de Bolivie, ramené en France puis jugé à Lyon en 1987 pour crimes contre l'humanité. Lors de son témoignage, il affirma que Raymond avait trahi Jean Moulin, en transmettant aux Allemands des informations détaillées sur la réunion secrète qui s'était tenue dans le cabinet médical de Caluire. Lucie et Raymond en furent profondément outragés et, lorsque ces allégations mensongères furent reprises dans un livre publié en 1997, ils intentèrent à l'auteur un procès en diffamation qu'ils gagnèrent haut la main.

Le dirigeant vietnamien, Hô Chi Minh, était parrain
d'Élisabeth, la fille de Raymond et Lucie.

Cependant, certains historiens estimèrent qu'il y avait de nombreuses incohérences dans les ouvrages où Lucie relatait ses expériences en temps de guerre, comme *Ils partiront dans l'ivresse* ou *Cette exigeante liberté*. Elle répondit à ces critiques en déclarant que ces livres, qui avaient été écrits 40 ans après les événements en question, n'étaient pas des ouvrages historiques, mais des récits qui se voulaient le plus juste possible et qu'en conséquence on ne pouvait pas lui tenir rigueur d'avoir mentionné quelques dates erronées. Il apparaît clairement que Barbie a menti et qu'il a accusé Raymond Aubrac en raison du mépris qu'il éprouvait pour ses convictions communistes. Désormais, aucun doute ne subsiste sur la valeur du travail accompli et sur l'engagement indéfectible de Raymond et de Lucie au sein de la Résistance française. Lorsque Raymond Aubrac mourut en 2012, le président français François Hollande fit la déclaration suivante lors de la cérémonie organisée en hommage au disparu à l'Hôtel des Invalides à Paris : «Dans les périodes les plus sombres de l'histoire de notre pays, il fut, avec Lucie Aubrac, parmi ces Justes qui trouvèrent, en eux-mêmes et au creuset des valeurs universelles que porte notre République, la force de résister à la barbarie nazie.»

Raymond affirma jusqu'à la fin de sa vie que la décision dont il était le plus fier était d'avoir choisi Lucie comme compagne. Que ce soit dans les épreuves ou dans les moments heureux, ils regardèrent toujours ensemble dans la même direction. Voici ce qu'il déclara un jour : «Dans la vie, il y a seulement trois ou quatre décisions fondamentales à prendre. Le reste est question de chance.»

> *« Dans la vie, il y a seulement trois ou quatre décisions fondamentales à prendre. Le reste est question de chance. »*

Le mariage de Lucie et Raymond, qui fut long et heureux, était fondé sur des valeurs et des croyances communes.

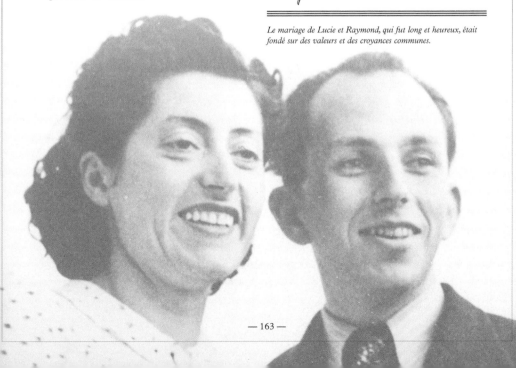

CARTE D'IDENTITÉ

HEDLEY RANFORD NASH
NOM

CANADIENNE
NATIONALITÉ

13 JANVIER 1912
DATE DE NAISSANCE

SOLDAT
FONCTION

GÉNIE ÉLECTRIQUE ET MÉCANIQUE
ROYAL CANADIEN ET CORPS ROYAL
DE L'INTENDANCE DE L'ARMÉE
CANADIENNE
AFFECTATION

DEVORAH «DORRIT» BUSS
AVROHOM HACKER
NOM

AUTRICHIENNE
NATIONALITÉ

30 OCTOBRE 1923
DATE DE NAISSANCE

*Passeport de Dorrit et liste des épouses
de guerre s'en allant au Canada.*

Hedley et Dorrit Nash

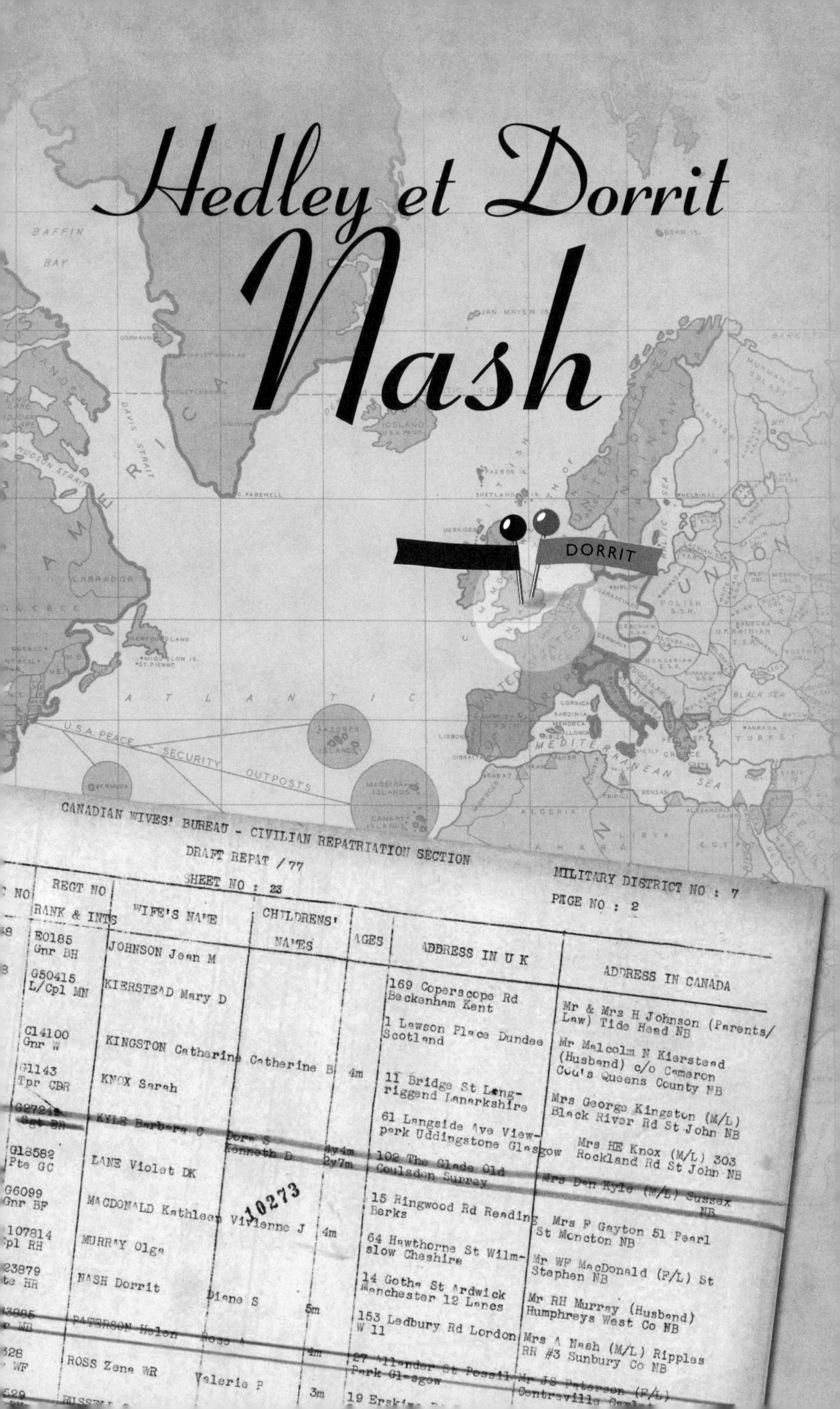

DORRIT

CANADIAN WIVES' BUREAU - CIVILIAN REPATRIATION SECTION

DRAFT REPAT /77

SHEET NO : 23

MILITARY DISTRICT NO : 7

PAGE NO : 2

C NO	REGT NO RANK & INTS	WIFE'S NAME	CHILDRENS' NAMES	AGES	ADDRESS IN U K	ADDRESS IN CANADA
8	E0185 Gnr BH	JOHNSON Jean M				Mr & Mrs H Johnson (Parents/ Law) Tide Head NB
8	G50415 L/Cpl MN	KIERSTEAD Mary D			169 Coperscope Rd Beckenham Kent	Mr Malcolm N Kierstead (Husband) c/o Cameron Coa's Queens County NB
	C14100 Gnr W	KINGSTON Catherine	Catherine B	4m	1 Lawson Place Dundee Scotland	Mrs George Kingston (M/L) Black River Rd St John NB
	G1143 Tpr CBR	KNOX Sarah			11 Bridge St Long- riggend Lanarkshire	
G27212 Sgt BH		KYLE Barbara C	Dorr S Kenneth D	3y4m 2y7m	61 Langside Ave View- park Uddingstone Glasgow	Mrs HE Knox (M/L) 303 Rockland Rd St John NB
	G18582 Pte GC	LANE Violet DK			102 The Glade Old Coulsdon Surrey	Mrs Dan Kyle (M/L) Sussex NB
	G6099 Gnr BF	MACDONALD Kathleen	Vivienne J 10273	4m	15 Ringwood Rd Reading Berks	Mrs F Gayton 51 Pearl St Moncton NB
	107814 pl RH	MURRAY Olga			64 Hawthorne St Wilm- slow Cheshire	Mr WF MacDonald (P/L) St Stephen NB
	23879 te HH	NASH Dorrit	Diana S	5m	14 Gotha St Ardwick Manchester 12 Lancs	Mr RH Murray (Husband) Humphreys West Co NB
895 MN		PATERSON Helen	Ross A		153 Ledbury Rd London W 11	Mrs A Nash (M/L) Ripples RR #3 Sunbury Co NB
328 WF		ROSS Zena WR	Valerie P	4m 3m	27 Allander St Possil Park Glasgow	Mr JS Paterson (P/L) Centreville NB
329		RUSSELL			19 Ersk	

*Hedley à Londres en 1944.
Selon son capitaine, il était
considéré comme un
«homme amical et
chaleureux».*

En 1942, *Hedley* se porta volontaire
pour rejoindre les rangs de l'*Armée*
canadienne, non pas en raison
d'un quelconque esprit patriotique,
mais simplement pour pouvoir
nourrir sa famille...

Hedley et Dorrit étaient de race, de religion, de nationalité et de formation différentes;
ils avaient à priori peu de chances de former un couple. Cependant, après avoir remporté
un concours de danse lors de leur premier rendez-vous, ils comprirent très vite
qu'ils étaient en train de tomber amoureux.

Hedley vit le jour à Lakeville Corner, une commune agricole située à 32 kilomètres à l'est de Fredericton, dans la province canadienne du Nouveau-Brunswick. Sa famille étant d'une extrême pauvreté, il vécut son enfance dans une petite cabane, entouré de ses onze frères et sœurs. Les ancêtres de ses parents étaient des loyalistes noirs, c'est-à-dire des Noirs d'Amérique du Nord, esclaves pour la plupart, à qui l'on avait promis la liberté s'ils combattaient aux côtés des Britanniques durant la guerre d'Indépendance des États-Unis (1775-1783). Hedley avait aussi des ancêtres de sang indien malécite du côté de sa mère. À l'âge de 11 ans, il quitta l'école pour travailler à la ferme et subvenir aux besoins de sa famille. Durant les 19 années qui suivirent, il occupa les emplois d'ouvrier agricole saisonnier, de mineur dans une mine de charbon et de mécanicien dans le garage de son oncle. En 1942, Hedley se porta volontaire pour rejoindre les rangs de l'Armée canadienne, non pas en raison d'un quelconque esprit patriotique, mais simplement pour pouvoir nourrir sa famille et peut-être aussi pour améliorer son niveau de vie.

À l'inverse, Dorrit Hacker était une enfant unique, issue de parents juifs qui appartenaient à la classe moyenne supérieure. Elle vécut son enfance à Vienne dans une maison confortable, bercée par la musique de Mozart. Ses parents l'amenaient souvent à l'opéra et sa famille bourgeoise ne manquait de rien. Elle réussissait fort bien à l'école lorsque soudain, à l'âge de neuf ans, elle apprit que les enfants juifs n'étaient plus les bienvenus dans le système scolaire autrichien. Du jour au lendemain, les filles qui avaient été ses amies les plus proches cessèrent de lui parler. Dorrit en fut profondément affligée : elle ne comprenait pas ce qui se passait, car ses parents faisaient tout leur possible pour lui dissimuler la

Dorrit et sa mère à Vienne en 1933,
avant que leur monde ne s'écroule.

vérité et la protéger de l'antisémitisme croissant qui sévissait en Autriche. Le malheur la frappa de nouveau à l'âge de dix ans lors d'une crise d'encéphalite, qui entraîna un affaissement permanent du côté droit de son visage. Après l'*Anschluss*, soit le rattachement de l'Autriche à l'Allemagne nazie en mars 1938, les parents de Dorrit se rendirent compte que leurs vies pourraient être en danger. Le père de Dorrit, Alfons, un comptable, embarqua à bord d'un bateau à destination de la Palestine dans le but de bâtir une nouvelle vie sur cette terre où sa femme et sa fille le rejoindraient ultérieurement. Dorrit et sa mère attendirent durant de longs mois un signe de sa part. Cependant, en dépit de ses brillantes qualifications, il eut beaucoup de mal à obtenir un permis de travail parce qu'il ne parlait pas l'hébreu.

La nuit du 9 novembre 1938, connue sous le nom de « Nuit de cristal », marqua le point culminant de la vague antisémite qui submergea l'Allemagne dès l'arrivée des nazis au pouvoir. Lors de ce pogrom, des synagogues furent détruites et les entreprises et commerces exploités par des juifs, saccagés. Des milliers de juifs furent arrêtés puis déportés en camps de concentration. Le 10 novembre, Dorrit et sa mère se rendirent au marché; lorsqu'elles rentrèrent chez elle, une vingtaine de minutes plus tard, elles constatèrent avec effroi que tous les habitants de leur quartier juif avaient disparu. Il devint alors évident qu'elles ne pouvaient plus se contenter d'attendre un signe éventuel en provenance de Palestine. Mais il était très difficile d'émigrer ou d'obtenir des permis de résidence à l'étranger. La mère de Dorrit, Irma, qui au terme de longues démarches avait obtenu la permission de travailler à Londres comme domestique, fit une demande officielle afin que sa fille puisse bénéficier de l'opération humanitaire *Kindertransport,* qui venait tout juste d'être créée afin que les enfants juifs d'Europe centrale, non accompagnés de leurs parents,

*Les devantures de commerces juifs à Magdebourg en Allemagne après la « Nuit de cristal »,
qui eut lieu dans la nuit du 9 au 10 novembre 1938.*

LE *KINDERTRANSPORT*

Le 15 novembre 1938, cinq jours après les pogroms et les arrestations de masse de la « Nuit de cristal », la communauté juive britannique demanda au premier ministre, Neville Chamberlain, de sauver les enfants juifs du continent. Le gouvernement passa une loi pour accélérer le processus d'immigration et accueillir les enfants juifs non accompagnés âgés de moins de 17 ans. Aucune limite quant au nombre de réfugiés ne fut annoncée publiquement. Le 2 décembre, un premier groupe de 200 enfants en provenance de Berlin et de Hambourg arriva en Grande-Bretagne. Dès leur arrivée, les enfants furent placés dans des pensions ou des familles d'accueil. Le dernier *Kindertransport* quitta les Pays-Bas le 14 mai 1940 alors que les troupes nazies envahissaient le pays. Sur une période de dix-sept mois, près de 10 000 enfants originaires d'Allemagne, d'Autriche, de Tchécoslovaquie, de Pologne, débarquèrent en sol britannique. La plupart d'entre eux furent les seuls membres de leurs familles qui survécurent à la guerre.

Loudou child 7057 4121

This document of identity is issued with the approval of His Majesty's Government in the United Kingdom to young persons to be admitted to the United Kingdom for educational purposes under the care of the Inter-Aid Committee for children.

THIS DOCUMENT REQUIRES NO VISA.

PERSONAL PARTICULARS.

Name HACKER DORRIT
Sex F. Date of Birth 30.10.23
Place VIENNA
Full Names and Address of Parents
HACKER ALFONS + IRMA.
89. OBERE DONAUSTR
VIENNA

À l'arrière-plan : effrayés, séparés de leurs familles et sans idée du sort qui les attendait, les enfants réfugiés qui bénéficiaient de l'opération Kindertransport *se rendaient à Londres par bateau et par train.*

La carte d'identité de Dorrit. Chaque enfant transporté devait en posséder une.

puisent être sauvés. Irma se rendit à Londres la première après avoir laissé Dorrit à Vienne sous la garde de sa grand-mère paternelle.

Pour Dorrit, qui n'avait que 15 ans et ne parlait pas un mot d'anglais, voyager seule en bateau puis en train jusqu'à Londres a dû constituer une expérience terrifiante. Dès son arrivée, elle fut placée dans un refuge pour enfants juifs, et ce, jusqu'à ce que sa mère la retrouve. Irma, qui avait décroché un emploi de bonne dans une riche famille anglaise, persuada ses employeurs d'engager Dorrit, qu'elle leur présenta comme sa sœur. À Vienne, les Hacker avaient une domestique à leur service. En conséquence, Irma et sa fille n'avaient qu'une connaissance sommaire de l'entretien ménager; elles parvinrent pourtant à s'acquitter de leurs tâches. À Londres, Dorrit fréquenta brièvement l'école pour apprendre l'anglais, mais sa mère la retira aussitôt qu'elle apprit que le directeur de l'école administrait des coups de baguette aux enfants pour des délits mineurs. Dorrit dut donc apprendre l'anglais en travaillant, mais, comme elle était brillante, elle y parvint rapidement.

Pourtant, en dépit de leur sécurité relative, Dorrit et sa mère étaient très anxieuses, car elles n'avaient reçu aucune nouvelle d'Alfons, le père de Dorrit, depuis que ce dernier avait quitté Vienne pour rejoindre la Palestine. Elles s'inquiétaient aussi du sort de leurs parents, restés en Autriche. De plus, bien qu'elles aient fini par apprendre l'anglais, les Britanniques les prenaient souvent pour des Allemandes, en raison de leur fort accent autrichien, ce qui les obligeait à expliquer leur situation et à se justifier sans cesse. Elles redoutaient également que l'antisémitisme qui balayait l'Europe n'atteigne un jour les côtes britanniques, auquel cas elles n'auraient plus aucun lieu où se réfugier. Elles vivaient une situation de tension et de stress permanent.

Avant de quitter l'Autriche, Dorrit dut remplir ce formulaire, répertoriant toutes ses possessions. Au bas de ce document, on distingue la signature de sa grand-mère, Sabine Hacker, que Dorrit ne revit jamais et dont elle n'entendit plus jamais parler.

Londres en temps de guerre

Après avoir suivi l'entraînement militaire de base au Nouveau-Brunswick, Hedley fut affecté au sein du Corps royal de l'intendance de l'Armée canadienne en tant que chauffeur de camion. Puis, en septembre 1943, il fut envoyé à Londres pour travailler dans un atelier mécanique où il fut formé au métier d'opérateur d'usine d'électricité. Sans doute en raison de son âge, Hedley, qui avait alors 30 ans, ne participa pas aux combats. Pourtant, en dépit de son recrutement tardif et de son manque de qualifications, il eut la chance d'exercer les métiers auxquels l'armée le forma.

Lorsque la guerre fut déclarée, Dorrit était bien décidée à contribuer à l'effort de guerre. Elle se porta donc volontaire pour rejoindre les rangs du Service auxiliaire de l'Armée de terre (ATS, la branche féminine de l'armée britannique). Cependant, comme elle était âgée de seulement quinze ans et demi, soit 18 mois trop jeune pour incorporer les rangs du Service auxiliaire, elle fut envoyée dans un centre de formation militaire, situé à Hounslow dans la banlieue de Londres, où elle fut formée durant six mois aux métiers de la tôlerie et du soudage au

> « *Pour souder ces grandes pièces de métal, je devais m'allonger sur le dos et manipuler un chalumeau brûlant alors que les bombes explosaient au sol.* »

gaz. Son premier emploi consista à souder des tuyaux d'échappement sur les avions de chasse : «Pour souder ces grandes pièces de métal, je devais m'allonger sur le dos et manipuler un chalumeau brûlant alors que le hurlement des sirènes retentissait tout autour de moi et que les bombes explosaient au sol.»

Dorrit et sa mère étaient terrifiées par les bombes. Une fois, elles virent même un avion s'écraser sur un immeuble; Dorrit se promit dès lors de ne jamais utiliser l'avion comme moyen de transport, une promesse qu'elle respecta jusqu'à la fin de ses jours. Elle prit d'ailleurs la même résolution au sujet des ascenseurs après avoir été bloquée par une coupure de courant entre deux étages lors d'un raid aérien et après avoir vu un des passagers, terrassé par une crise cardiaque, mourir sous ses yeux.

Dorrit et sa mère furent dévastées lorsqu'elles apprirent que les deux grands-mères de Dorrit avaient été arrêtées puis déportées dans des camps de concentration comme les nombreux autres juifs qui étaient restés en Autriche. Un de ses oncles fut fait prisonnier et un autre se pendit pour éviter d'avoir à subir le même sort. Irma ne pouvait s'empêcher de pleurer lorsqu'elle revoyait les photos de famille qu'elle avait emportées avec elle. De plus, comme elles ne savaient toujours pas ce qu'était devenu le père de Dorrit, toutes deux craignaient le pire.

Bien que les nouvelles du front aient été terrifiantes, Dorrit était une adolescente comme les autres qui voulait rire et s'amuser; elle utilisait tout son temps libre pour aller danser et voir des films au cinéma. Entre-temps, elle changea d'emploi et obtint un poste de caissière dans une cantine militaire; un vendredi soir, elle y rencontra un militaire cana-dien qui se mit à flirter avec elle. Il lui apprit qu'un concours de danse était organisé au Club Trocadero, un établissement situé à proximité, et que le premier prix pour le couple qui remporterait le concours serait un poulet. Il lui proposa alors d'être sa partenaire et de l'accompagner. Comme elle ne le connaissait pas, sa première réaction fut de refuser, mais Hedley était un homme charmant et de belle prestance; de plus, la perspective de gagner un poulet qui viendrait agrémenter ses maigres rations de guerre était irrésistible.

Dorrit avait toujours été une excellente danseuse et Hedley était lui aussi très habile. Alors qu'ils dansaient avec brio le foxtrot, le swing et le jitterbug, la piste de danse se vida progressivement et les participants au concours s'arrêtèrent de danser pour les regarder. À la fin de la soirée, ils apprirent qu'ils avaient remporté le concours. Hedley, qui était fort bien nourri comme tous les militaires canadiens, laissa Dorrit ramener le poulet à sa mère. Mais les concours de danse, qui pullulaient à l'époque, lui offrirent une excellente excuse pour l'inviter de nouveau.

Dorrit avait fréquenté d'autres hommes, mais, dès qu'elle rencontra Hedley, elle décida de s'engager avec lui dans une relation exclusive. Ils avaient en commun d'être tous deux des étrangers et, après leurs premiers rendez-vous, il devint très vite évident que leur rela-tion devenait sérieuse. «Tu sais que je suis juive, n'est-ce pas?», lui demanda-t-elle un jour, convaincue qu'il était de son devoir de le prévenir. Il eut un sourire malicieux et lui répon-dit: «Ça n'a aucune importance. Je t'aime. Et puis, tu sais que je suis noir, n'est-ce pas?». «Pour moi non plus, ça n'a aucune importance», lui répliqua-t-elle.

À Londres, le 27 janvier 1945, des militaires américains dansent au Rainbow Club, près de Piccadilly Circus.

La vie au Canada

Au printemps 1945, lorsque Dorrit annonça à sa mère qu'Hedley l'avait demandée en mariage, cette dernière tenta par tous les moyens de la dissuader. Dorrit n'avait que 21 ans; par ailleurs, Hedley était noir et non juif et il voudrait certainement ramener la jeune fille au Canada. Elle s'efforça donc de convaincre Dorrit d'abandonner ce projet, mais celle-ci ne se laissa pas fléchir. En juin 1945, une cérémonie civile fut célébrée à Londres, au cours de laquelle ils devinrent mari et femme. Leurs deux témoins furent Irma, la mère de Dorrit, et un ami d'Hedley. Une grosse surprise se produisit lorsqu'ils signèrent le registre des mariages. Hedley avait affirmé à Dorrit qu'il était âgé de

21 ans, comme elle, mais dans le registre officiel, son âge était dûment consigné. En fait, il était âgé de 33 ans, soit douze ans de plus que Dorrit. Irma fut choquée par cette dissimulation, mais Dorrit n'y attacha aucune importance. L'âge ne compte pas lorsque l'on est amoureux.

Finalement, au sortir de la guerre, elles apprirent une merveilleuse nouvelle : le père de Dorrit, qui avait survécu à la guerre en Palestine, était sain et sauf. À l'été 1946, lorsqu'il vint les visiter à Londres, il constata que sa fille était mariée et qu'elle était mère d'une petite fille, prénommée Diane. À cette époque, ils découvrirent aussi que leurs autres parents n'avaient pas été aussi chanceux; jamais ils ne connurent le sort qui fut réservé aux grands-mères et à l'oncle de Dorrit, qui furent tous trois déportés dans des camps de concentration.

En septembre 1946, Hedley fut rapatrié au Canada en compagnie de ses camarades. En octobre de la même année, il fut suivi par Dorrit, qui embarqua à bord du navire *Empire Brent* avec des centaines d'autres épouses de guerre, lors d'un voyage spécialement affrété par la Croix-Rouge. Après avoir débarqué à Halifax avec sa fille de cinq mois, elle prit un train jusqu'à Fredericton pour rejoindre son mari. Dès son arrivée au Nouveau-Brunswick, Dorrit comprit qu'Hedley lui avait menti sur un autre aspect de sa vie. En effet, il lui avait affirmé qu'il était propriétaire d'une chaîne de garages, ce qui l'avait incitée à croire qu'il jouissait d'un niveau de vie élevé. Mais la vérité s'imposa à elle lorsqu'elle découvrit la misérable petite cabane où les parents d'Hedley vivaient avec leurs enfants. En ce mois de novembre 1946, il faisait incroyablement froid et une épaisse couche de neige recouvrait déjà le sol. De plus, comme il n'y avait pas d'électricité, Dorrit devait s'éclairer avec une lampe à huile pour se déplacer la nuit. Par ailleurs, leur domicile ne disposant pas de plomberie intérieure et les toilettes étant situées à l'extérieur, à une certaine distance de la cabane, il lui fallait se vêtir lourdement, mettre des couvre-chaussures et marcher dans la neige pour satisfaire ses besoins naturels. Dorrit fut

Irma, la mère de Dorrit, découpa l'image d'Hedley qui apparaissait initialement sur cette photographie de Dorrit avec son nouveau-né, Diane. Irma eut beaucoup de mal à accepter leur mariage.

LA TRAVERSÉE DES ÉPOUSES DE GUERRE

À la fin de la guerre, des centaines de milliers de couples, certains avec de jeunes enfants, furent séparés. La Croix-Rouge intervint alors pour prendre soin des femmes et des enfants qui se retrouvaient seuls, les préparer à leur vie future à l'étranger, les aider dans leurs démarches administratives, organiser leur traversée. Dans certains cas, la Croix-Rouge continua même à offrir son assistance bien des années après la fin de la guerre, entre autres, à des femmes qui avaient le mal du pays et qui souhaitaient retourner dans leur pays d'origine parce qu'elles n'avaient pu s'adapter à leur nouvelle vie. La première traversée officielle d'un navire transportant des épouses de guerre eut lieu en janvier 1946 avec le départ du SS *Argentina* à Southampton pour New York, avec 452 femmes à bord. À leur arrivée, elles furent accueillies par le maire de New York, par un orchestre et par 200 journalistes et photographes. La traversée des épouses de guerre, qui dura jusqu'en 1948 et impliqua des centaines de bateaux, donna lieu à de nombreuses expressions argotiques telles que « La balade des couches pour bébés » ou « Opération belle-mère ».

stupéfaite par ce changement radical de mode de vie, mais, comme elle était bloquée sur cette terre étrangère, elle dut s'adapter et tirer le meilleur parti de la situation. Heureusement, la vaste famille de son mari était gentille et accueillante.

En mars 1947, après avoir passé l'hiver chez les parents d'Hedley, le couple loua une maison à Fredericton, qui disposait de l'eau courante chaude et froide et d'une toilette intérieure, ce qui représentait une nette amélioration de leurs conditions de vie. Hedley trouva tout d'abord un emploi d'ouvrier, puis il fut engagé comme travailleur à la pièce par l'entreprise Chestnut Canoe Company. Cependant, en dépit de ses longues heures de travail, il gagnait très peu d'argent. Dorrit devint

Un esprit de franche camaraderie régnait à bord des navires qui transportaient les épouses de guerre et bon nombre d'entre elles y forgèrent des amitiés durables.

une véritable experte des mets cuisinés à base de haricots, de pommes de terre et de macaronis. Ils eurent deux autres filles, Denise et Deby, qui durent chaque jour se rendre à pied à l'école locale, distante de deux kilomètres.

La pauvreté n'était pas leur seul problème. En effet, bien que vivant dans un quartier blanc, ils constituaient la première famille métisse de Fredericton. Ils durent donc faire face à des préjugés. Certes, Hedley et Dorrit avaient de nombreux amis qu'ils invitaient souvent chez eux, mais la réciproque n'était pas vraie; en fait, ils n'étaient jamais invités, car leurs voisins blancs ne voulaient pas accueillir un Noir chez eux. Dorrit assistait à des cérémonies et des événements organisés dans la synagogue locale, mais la communauté juive ne souhaitait pas qu'elle soit accompagnée de son mari. Très tôt, leurs filles furent informées qu'en raison de leur couleur de peau, elles ne pouvaient pas nager dans certaines piscines ni participer à des compétitions sportives. Pourtant, en dépit de cet ostracisme, les filles d'Hedley et de Dorrit réussirent extrêmement bien à l'école – un exploit qui étonnait Dorrit, car, n'ayant pu elle-même poursuivre ses études, elle était totalement incapable de les aider à faire leurs devoirs.

Irma, la mère de Dorrit, retournait occasionnellement à Vienne pour y retrouver son mari. Mais sa relation avec Alfons s'était détériorée, car elle lui reprochait amèrement son manque de soutien durant la guerre. Elle

... Hedley et Dorrit demeurèrent liés par l'amour durant leurs 57 années de mariage, et jamais ils ne cessèrent de cultiver leur passion de la danse.

passait de plus en plus de temps avec sa fille et ses petits-enfants au Canada. Bien qu'elle n'ait jamais pardonné à Hedley d'avoir menti sur son âge et sur son statut social, elle ne pouvait se résoudre à ne plus voir sa fille unique et, après la mort d'Alfons, elle s'installa définitivement au Canada.

En dépit de leurs différences et de toutes les épreuves qu'ils durent surmonter, Hedley et Dorrit demeurèrent liés par l'amour durant leurs 57 années de mariage, et jamais ils ne cessèrent de cultiver leur passion de la danse. Lors de certains événements sociaux, ils se levaient pour danser le swing ou le jitterbug comme ils le faisaient durant la guerre et tous ceux qui les entouraient s'arrêtaient de danser pour les regarder.

Dorrit et Hedley. C'est la passion de la danse qui les avait réunis.
Ils ne manquèrent jamais une occasion de tourner ensemble.

CARTE D'IDENTITÉ

ROY OSCAR SATHER
NOM

AMÉRICAINE
NATIONALITÉ

17 JUILLET 1917
DATE DE NAISSANCE

MAJOR
FONCTION

468ᵉ GROUPE DE BOMBARDEMENT
AFFECTATION

PAULINE «PILL» ADDIE DENMAN
NOM

AMÉRICAINE
NATIONALITÉ

DÉCEMBRE 1920
DATE DE NAISSANCE

LIEUTENANT
FONCTION

CORPS INFIRMIER DE L'ARMÉE
AFFECTATION

Roy Sather et Pill Denman

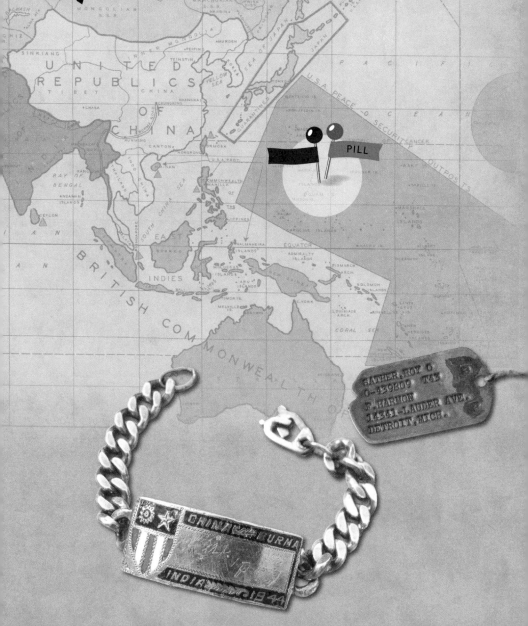

Pauline et Roy se voyaient trois fois par jour à Tinian. À force de passer leurs journées à la plage, de s'amuser à toutes sortes de jeux et de discuter, ils finirent par tomber amoureux.

Ce fut une histoire d'amour idyllique entre deux personnes sur une île tropicale du Pacifique. «Tu devrais apprendre à signer Mme Roy O. Sather», lui suggéra-t-il, la veille du départ de Pill pour le Japon, où elle devait terminer sa période de service. Elle savait déjà qu'ils passeraient le reste de leurs vies ensemble.

À l'été 1945, Roy avait déjà enduré une guerre longue et éprouvante. Après avoir étudié en génie électrique à l'Université Wayne State, au Michigan, il s'était enrôlé dans l'Armée de l'air américaine et avait été envoyé au camp d'entraînement militaire de Salina, au Kansas, où il avait appris à piloter des chasseurs-bombardiers. En 1941, à la suite de sa nomination comme instructeur de vol, il fut affecté en Irlande du Nord. En mai 1943, il rejoignit les rangs du 468e Groupe de bombardement, une unité nouvellement créée qui fut la première à mener des opérations aériennes de combat de longue portée avec des bombardiers lourds B-29. Ces nouveaux avions durent satisfaire aux nombreuses exigences techniques du cahier des charges (vitesse, rayon d'action, vol à haute altitude, capacité de 9 000 kilos de bombes, etc.) avant d'être envoyés à Calcutta, en Inde, en mars-avril 1944 où ils furent déployés sur le théâtre d'opérations Inde-Chine-Birmanie. Leurs missions initiales consistaient à voler au-dessus du «toit du monde» – l'Himalaya – afin de livrer de l'essence à une base alliée avancée, située dans la province du Sichuan en Chine. Le 5 juin 1944, le 468e Groupe de bombardement reçut l'ordre de bombarder Bangkok en Thaïlande, ce qui constitua sa première mission de bombardement, avant d'attaquer

Roy débuta sa carrière militaire comme lieutenant en Irlande du Nord.

Les B-29 du 468e Groupe de bombardement larguant leurs bombes sur Rangoon, en Birmanie.

LE TOIT DU MONDE

La Chine étant en guerre contre l'Empire du Japon depuis juillet 1937, la stratégie américaine consista à fournir une assistance militaire aux Chinois pour les aider à freiner l'expansion nippone. Après la conquête de la Birmanie par le Japon en mai 1942, cette assistance ne put se faire que par voie aérienne, à partir de l'Inde. De juillet 1942 à novembre 1945, 650 000 tonnes de fournitures militaires furent acheminées vers la Chine par des avions qui devaient survoler le «toit du monde» dans des conditions périlleuses. En effet, ils s'élançaient de leurs bases, au niveau de la mer, et devaient effectuer des ascensions vertigineuses, jusqu'à 5 000 mètres de haut; les vents de 320 km/h causaient de sévères turbulences; les avions risquaient de geler à haute altitude ou de surchauffer leurs moteurs. Les pannes mécaniques étaient nombreuses et les pièces détachées, rares – sans compter le danger des attaques japonaises. Au moins 509 avions furent perdus en vol sur le «toit du monde». 1 314 membres d'équipage décédèrent tandis que 1 200 hommes furent sauvés après l'écrasement de leurs avions.

des cibles militaires au Japon. Lors de cette mission, Roy était opérateur radar – «c'était presque un génie, le meilleur d'entre nous», selon les dires du commandant en chef de son unité. Au total, il participa à 17 missions, qui furent toutes couronnées de succès.

À la fin de 1944, le 468e Groupe de bombardement obtint le meilleur bilan opérationnel des quatre unités de B-29 qui existaient alors, ce qui lui valut le titre de «Groupe du général Billy Mitchell» (du nom d'un général américain, mort en 1936, un pilote et un pionnier de l'aviation militaire qui contribua à la création de l'Armée de l'air américaine). Le travail de cette unité était exténuant, car les Boeing B-29 n'étaient pas totalement au point sur le plan technique; en conséquence, chaque mission était une épreuve nerveuse pour les équipages qui devaient voler entre 16 et 21 heures avant de regagner leur base. «J'avais l'habitude de voler en paix jusqu'à ce que je découvre à quel point c'était dangereux», plaisantait Roy d'un ton léger, usant d'une boutade pour conjurer le péril encouru lors de chacune de ses missions.

Voler au-dessus du «toit du monde» était un exercice dangereux, qui offrait des vues époustouflantes de l'Himalaya.

En mai 1945, le 468e Groupe de bombardement fut relocalisé à Tinian, une des îles de l'archipel des Mariannes, au sud-est du Japon, qui avait été libérée de l'occupation nippone l'été précédent. Une partie de cette île avait été clôturée pour une mission ultra-secrète impliquant des B-29, mais rares étaient ceux qui savaient vraiment ce que cette mission recouvrait. Néanmoins, la plupart des militaires américains se doutaient que, derrière cette clôture lourdement gardée, quelque chose d'important se tramait.

> « ... entre eux, il y eut une attirance si intense et si immédiate que le monde extérieur fut soudain relégué à l'arrière-plan. »

À Tinian, la vie était plus facile qu'à Calcutta; de plus, comme il avait moins de missions à effectuer, Roy pouvait profiter de ses permissions pour aller à la plage ou explorer l'île à bord d'une jeep, empruntée au parc automobile de l'armée. Une nuit, lors d'une soirée dansante organisée dans l'un des nombreux clubs d'officiers, il remarqua une femme blonde très séduisante qui portait des lunettes. Après qu'il se fut présenté, il découvrit qu'elle était infirmière et se prénommait Pill (un diminutif de Pauline). Lorsqu'ils se mirent à discuter, une chose totalement imprévue se produisit : entre eux, il y eut une attirance si intense et si immédiate que le monde extérieur fut soudain relégué à l'arrière-plan. Dès lors et jusqu'à la fin de leur affectation à Tinian, tous deux n'eurent d'yeux que l'un pour l'autre.

L'amour sous les tropiques

Lorsqu'elle obtint son diplôme de fin d'études secondaires du lycée de Delmar, dans l'État de New York, Pill n'avait aucune idée de ce qu'elle ferait de sa vie. Son amie Cookie lui ayant annoncé qu'elle allait poursuivre des études d'infirmière, Pill décida d'en faire tout autant. Très vite, elle découvrit qu'elle aimait son travail et, après avoir obtenu son diplôme d'infirmière en 1943, elle décida de s'enrôler pour contribuer à l'effort de guerre. Elle fut tout d'abord affectée au service d'obstétrique de l'hôpital de Fort Monmouth, dans l'État du New Jersey, où elle travailla de nuit, de six heures du soir à six heures du matin. Après quelques mois, elle se porta volontaire pour servir à l'étranger. Comme elle espérait ardemment être envoyée en Europe, elle emballa ses vêtements les plus chauds; cependant, la guerre touchant à sa fin en Europe, lorsqu'elle se présenta au camp Kilmer, dans le New Jersey, pour suivre sa formation, on l'informa qu'elle aurait plutôt besoin de légers vêtements d'été, car elle serait affectée dans le Pacifique. À peine eut-elle le temps de se familiariser avec les symptômes de la malaria qu'elle dut prendre le train pour Seattle, dans l'État de Washington, où elle embarqua en compagnie d'autres volontaires à bord d'un navire militaire. Lorsqu'elle prit la mer, le 17 juillet 1945, Pill ne savait absolument pas où elle allait, mais spéculer sur une destination éventuelle était un exercice assez excitant.

Dès que leur navire accosta sur l'île de Tinian, dans l'archipel des Mariannes, les filles furent transférées dans des camps Quonset (en acier préfabriqué), installés sur la côte est de l'île. Il s'y trouvait de vastes dortoirs où les filles dormaient à 25 ou 30 par pièce tout en partageant des latrines situées à l'extérieur. Comme il y avait peu de soins infirmiers à prodiguer, après s'être acquittées de quelques corvées et autres tâches ménagères, elles étaient libres d'occuper leur temps comme elles le souhaitaient. Une semaine seulement après son arrivée, Pill rencontra Roy et fut immédiatement séduite. Dès lors, bien qu'elle s'efforçât d'adopter un ton neutre lorsqu'elle écrivait à ses parents, elle ne put s'empêcher de le mentionner dans chacune de ses lettres. «C'est un homme absolument charmant... honnête et loyal, qui a pas mal de matière grise sous ses cheveux roux clairsemés. J'ai beaucoup de considération pour lui.» En fait, elle était si profondément éprise qu'elle ne voyait plus que lui, et bientôt les deux amoureux passèrent tout leur temps libre ensemble.

Roy vivait dans un campement de tentes, dans l'ouest de l'île, où tous les officiers américains étaient basés. Pourtant, chaque matin, après avoir pris son petit-déjeuner, il parcourait en jeep les six kilomètres qui le séparaient de Pill. Lorsqu'ils étaient séparés, ils s'adressaient de longues lettres; en conséquence, dès le réveil, ils lisaient les lettres qu'ils s'étaient écrites la nuit précédente. Ils s'amusaient aussi à pratiquer toutes sortes de jeux: ils disputaient des parties de cribbage et de sink (une sorte de bataille navale), ils faisaient des mots croisés, un jeu qu'ils adoraient, sans jamais cesser de se parler – lui, de son père, mort durant la Première Guerre mondiale; elle, de sa sœur aînée, Marjorie, qui était secrétaire; il lui racontait ses exploits de champion de course de fond tandis qu'elle lui relatait ses expériences passées d'infirmière. Leur conversation était semblable à une source qui jamais ne se tarissait – sauf lorsqu'ils s'interrompaient pour s'embrasser avec passion.

En général, l'après-midi ils se rendaient à la plage pour se baigner ou se prélasser sur le sable et, le soir venu, après avoir dîné, ils sortaient: ils allaient danser ou voir un film dans un ciné-parc, ou bien ils dégustaient un de leurs cocktails préférés, comme le *Rum and Coke*, dans un des nombreux clubs d'officiers (leur club de prédilection était le Dreamboat, qui disposait de toilettes intérieures, un avantage non négligeable). Entre eux, tout semblait donc aller pour le mieux, mais Roy dissimulait un secret qui pesait sur sa conscience. Un jour, alors qu'il se promenait avec Pill, Roy mentionna, non sans hésitation, le cas d'un ami qui avait un lourd problème à gérer. Il lui révéla que cet ami, qui était fiancé à une femme prénommée Irene, dont il n'était pas amoureux, s'était épris d'une jeune infirmière rencontrée à Tinian. Que devait-il faire? En le voyant s'exprimer avec nervosité, Pill comprit sur-le-champ qu'il parlait de lui-même; en conséquence, elle se montra particulièrement prudente et diplomate lorsqu'elle lui répondit. Elle suggéra que son ami retourne aux États-Unis pour revoir sa fiancée avant de prendre une décision qui les engagerait définitivement. De cette façon, tous deux sauraient sans l'ombre d'un doute qu'ils faisaient le bon choix. Roy lui avoua alors qu'il s'agissait de lui, puis il lui montra des photos d'Irene. «Je veux être auprès de toi», lui avoua-t-il.

Sur cette photo prise avant la guerre, Roy pose en compagnie d'Irene Markham, sa fiancée d'alors.

Le colonel Paul W. Tibbets, le pilote du bombardier Enola Gay, *qui effectua le premier bombardement atomique sur Hiroshima, apparaît au centre de cette photo, entouré de son équipe au sol.*

La licence de mariage que Roy avait établie à leurs noms indique le 3 novembre 1945 comme date officielle du mariage.

«Tu es celle que j'aime.» Il y avait une telle émotion dans sa voix qu'elle était convaincue qu'il pensait chacun de ses mots.

Le 6 août, ils entendirent des avions décoller du nord de l'île, où la base secrète était située. Plus tard, ils apprirent que cette mission aérienne impliquait un avion particulier, baptisé *Enola Gay,* qui avait largué un type de bombe très spéciale sur le Japon. Roy était curieux, mais Pill n'accorda aucune attention particulière à ce fait, qu'elle jugeait anodin. Le 9 août, une autre bombe fut larguée sur le Japon, et le 15 août la nouvelle tomba, annonçant la reddition sans condition du Japon (voir encart «Hiroshima et Nagasaki»). La guerre était terminée, ce qui signifiait que Roy et ses camarades n'auraient plus à risquer leurs vies. Au sein des troupes, le soulagement fut tel que les autorités de Tinian organisèrent le soir même de nombreuses festivités. Main dans la main sur la terrasse du Dreamboat, Roy et Pill contemplèrent les avions militaires qui rentraient au bercail après avoir accompli leur ultime mission.

Un triste au revoir

Des milliers de militaires et d'aviateurs allaient et venaient à Tinian. Roy, qui était parvenu au terme de sa période de service et qui était censé regagner les États-Unis peu de temps après la déclaration du jour de la Victoire en Extrême-Orient, continua à négocier des prolongations pour pouvoir rester auprès de Pill, qui avait signé un contrat qui arrivait à expiration six mois après la fin de la guerre. Entre eux, les choses devenaient de plus en plus sérieuses. Un jour, il l'invita à déjeuner au mess des officiers et lui présenta son commandant, le colonel Jim Edmundson. Il lui présenta aussi une licence de mariage, établie à leurs noms, qui indiquait le 3 novembre 1945 comme date officielle du mariage. Il lui offrit également son bracelet-chaîne gravé et sa plaque d'identification de l'Armée de l'air, et ce, sans jamais cesser de lui dire à quel point il l'aimait, ce qu'elle savait d'ailleurs fort bien. Pill aussi lui déclarait à chaque instant qu'elle l'aimait. À priori, leur relation semblait donc parfaite, comme si tout cela allait de soi.

C'est alors que Pill fut informée qu'elle serait bientôt transférée au Japon pour prodiguer des soins infirmiers aux troupes américaines qui y étaient stationnées. La perspective de devoir quitter Roy lui brisa le cœur, mais il la rassura en lui promettant qu'il lui écrirait deux fois par jour et en lui rappelant qu'elle n'avait plus que quelques mois de service à accomplir avant qu'ils soient tous deux réunis à jamais. Le 19 octobre, soit le jour de son départ, comme il n'y avait pas de bijouteries sur l'île de Tinian où il aurait pu acheter une bague, il lui offrit son ensemble stylo à bille-stylo à plume Parker 51 comme «cadeau de fiançailles» tout en lui suggérant de s'entraîner à écrire «Mme» devant le nom gravé sur ce stylo. Certes, il ne s'agenouilla pas pour faire sa demande, mais Pill fut réconfortée par cette déclaration, car elle pensait sans cesse à ce bateau qui bientôt traverserait l'océan Pacifique et l'emporterait loin de lui.

Fidèle à sa parole, Roy lui écrivait deux fois par jour pour lui donner des nouvelles de leurs amis communs à Tinian et pour lui dire à quel point elle lui manquait. Le courrier n'était pas toujours distribué de façon régulière; le 15 novembre, elle reçut quinze lettres de Roy alors qu'elle pouvait rester des jours sans aucune nouvelle de lui. Il lui manquait terriblement, mais elle parvint néanmoins à s'adapter à sa nouvelle vie au Japon. Elle n'avait plus à soigner des blessures par balles ou consécutives à l'explosion d'une bombe; les hommes auxquels elle prodiguait ses soins souffraient de maux anodins, tels qu'une hernie ou l'appendicite. Elle alla visiter Hiroshima; une fois sur place, elle découvrit un paysage désertique où rien ne survivait hormis les cendres. Choquée par cette vision

L'ensemble de stylos gravés que Roy offrit à Pill en guise de «cadeau de fiançailles», car il n'y avait pas de bijouteries sur l'île de Tinian.

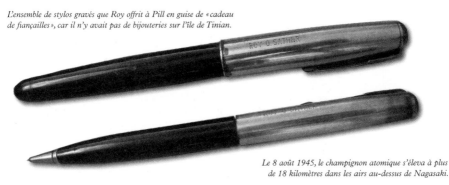

Le 8 août 1945, le champignon atomique s'éleva à plus de 18 kilomètres dans les airs au-dessus de Nagasaki.

HIROSHIMA ET NAGASAKI

Le 6 août 1945, le colonel Paul W. Tibbets entra dans l'histoire lorsqu'il pilota l'*Enola Gay* jusqu'à Hiroshima pour larguer la première bombe atomique. Pour la première fois dans l'histoire de l'humanité, des belligérants eurent recours à l'arme atomique. Tibbets décrivit l'immense nuage qui se forma après l'impact : « ... un effrayant champignon s'élevait en bouillonnant dans les airs », mais rien ne pouvait décrire l'horreur sur le sol. Environ 70 000 personnes (principalement des civils) furent tuées ce jour-là, et 40 000 autres moururent des radiations dans les mois et années qui suivirent. L'empereur Hirohito ayant refusé de capituler sans condition après le bombardement d'Hiroshima, le gouvernement américain largua une bombe similaire sur Nagasaki qui tua entre 60 000 et 80 000 personnes, dont la moitié d'entre elles le premier jour. Le président Truman, qui avait autorisé le lancement des deux bombes nucléaires, déclara que cela avait permis de sauver la vie d'au moins 500 000 soldats américains en écourtant la guerre, mais le débat éthique est loin d'être terminé.

> « Il est impossible de décrire par des mots la destruction causée par cette petite bombe si puissante. »

apocalyptique, elle écrivit : « Il est impossible de décrire par des mots la destruction causée par cette petite bombe si puissante. »

Roy l'informa qu'il serait de retour aux États-Unis le 2 décembre et lui transmit une adresse à laquelle elle pourrait le joindre en tout temps. Elle lui répondit immédiatement et continua à lui écrire, mais elle ne reçut plus aucune réponse. Au début, elle ne s'inquiéta pas outre mesure, car elle pensait que ce retard était dû aux difficultés liées à l'acheminement du courrier au Japon, mais, le temps passant, elle finit par se demander si un accident ne lui était pas arrivé. Constatant qu'elle n'avait reçu aucune nouvelle de lui pour son anniversaire ni pour Noël, elle fut vivement préoccupée. Elle continua pourtant de lui écrire à l'adresse indiquée jusqu'à ce jour fatidique du 11 janvier 1946, où elle reçut une lettre postée en Californie. Elle déchira l'enveloppe et se mit à lire avec impatience. Lorsqu'elle eut fini sa lecture, son cœur était brisé en mille morceaux. C'était une note courtoise adressée par la mère de Roy qui l'informait que son fils avait épousé sa fiancée Irene, le 20 décembre, et lui demandait instamment de cesser de lui écrire. Pill fut totalement dévastée par cette nouvelle.

Quelques jours plus tard, elle reçut une lettre de Roy lui-même, datée du 3 décembre et dont à l'évidence la livraison avait été retardée. Il y décrivait les circonstances de son retour aux États-Unis. Selon lui, sa mère et sa fiancée avaient réglé en son absence les derniers détails du mariage et toutes les réservations avaient été faites; en conséquence, il n'avait eu d'autre choix que d'accepter la situation et s'incliner. « Je dois reconnaître que j'entre dans un mariage sans amour », reconnaissait-il dans sa missive tout en ajoutant qu'il valait mieux qu'elle l'oublie, car il était dépassé par les événements.

Une des lettres que Roy envoya à Pill alors qu'elle séjournait au Japon. Avant son retour aux États-Unis, il lui écrivait deux fois par jour.

Pill en 1951, au lendemain de ses fiançailles avec Cecil Webb, qui sera le père de ses deux enfants.

Pill ne répondit pas à cette lettre déchirante. Elle poursuivit son travail et, lorsqu'elle revint aux États-Unis au terme de sa période de service, elle accepta un emploi d'infirmière libérale. Elle ne blâma pas Roy; elle savait qu'il était un homme d'honneur, incapable de heurter qui que ce soit s'il pouvait l'éviter, mais il lui fallut beaucoup de temps pour accepter la fin brutale de leur relation. En 1949, elle épousa un homme, appelé Leonard Klein, qui trois mois plus tard mourut tragiquement de la maladie de Hodgkin. En 1951, elle se remaria avec un certain Cecil Webb dont elle eut deux enfants.

Roy continua à œuvrer au sein de l'Armée de l'air jusqu'en 1958, où il accepta un poste d'enseignant au Département de génie électrique et informatique de l'Université Wayne State, son ancienne *alma mater*. Roy et Irene eurent quatre enfants et ils restèrent unis jusqu'à la mort de Roy, en 1994.

Durant la guerre, il y eut de nombreux coups de foudre, comme celui que vécurent Roy et Pill. En effet, l'intensité des combats poussait à des attachements rapides et les relations passionnelles fleurissaient, trouvant dans l'exaltation environnante un terreau particulièrement fertile. Bien que la plupart de ces histoires d'amour aient été éphémères, elles n'en furent pas moins exceptionnelles. Fugitives et brûlantes, elles jaillirent souvent comme des flammes lumineuses, avant d'être balayées par la rude réalité de la vie ordinaire.

REMERCIEMENTS

Un grand merci à Colin Salter qui m'a aidé à retracer certaines des histoires. Merci à Luisa Stucchi pour son documentaire de la BBC sur les épouses de guerre et à Melynda Jarratt qui a été si généreuse de son temps et de ses contacts. Je recommande ses livres *Captured Hearts* et *War Brides*, et son site Internet www.canadianwarbrides.com pour en savoir plus sur les épouses de guerre canadiennes.

Je suis aussi très reconnaissant aux membres des différentes familles de ce livre de m'avoir aidé à recueillir des informations :

Anderson : Merci à Stuart et Antony Anderson pour les longues entrevues et les superbes photographies.

Denman : J'ai discuté au téléphone avec Pauline Webb à propos de son histoire d'amour au temps de la guerre et elle m'a même laissé lire son journal intime du temps où elle a écrit son livre *Letters from Tinian 1945*. Merci aussi à sa fille Debra Rogers pour le contact.

Henry : Je suis redevable à Elaine O'Hanrahan pour son aide dans la reconstruction de l'histoire de ses parents.

Moore : Merci à Christopher Paul Moore d'avoir répondu à mes questions sur ses parents. Je recommande son excellent livre *Fighting for America* pour mieux comprendre ce que pouvait représenter le fait d'être un Noir dans l'armée. Merci à Nancy Lipscomb et Kim Yancy pour le contact.

Nash : Deby Nash m'a gentiment parlé de la vie de ses parents et a répondu à toutes mes questions. Melynda Jarratt m'a quant à elle présenté à Deby Nash et m'a envoyé des photographies.

Norwalk : Merci à Tom et Martha Norwalk d'avoir discuté avec moi. Je recommande fortement le livre de leur mère *Dearest Ones* portant sur son expérience de la guerre en Angleterre.

Paul : Merci à Stewart Paul, Lindsay Paul, Cindy Gaffney, Mary Balfour et mon homonyme Gill Paul de leur aide. Ce fut un plaisir de rencontrer Lindsay et Gill lors de leur séjour à Londres.

Turner : Merci à Don Moore pour son site Internet, le www.donmooreswartales.com, qui m'a fait connaître l'histoire des Turner. Merci aussi à la fille d'Hudson et de Betty, Elizabeth Skelton, qui a ajouté quelques détails au récit.

Williams : Tout a commencé avec le site Internet de Julia Williams portant sur sa belle-mère : storiesfromagedmil.blogspot.ca. Je lui suis reconnaissant d'avoir partagé avec moi des photographies et des informations supplémentaires.

Un grand merci à l'équipe fantastique de Ivy Press, particulièrement à Sophie Collins, Jacqui Sayers et Katie Greenwood.

Comme toujours, merci à Karel Bata d'être là pour moi.

CRÉDITS DES PHOTOGRAPHIES

Alexander Turnbull Library, Wellington, Nouvelle-Zélande : *133, 139.*

Avec l'aimable autorisation d'Antony Anderson : *32-36, 40-41.*

Bridgeman Art Library/Bibliothèque des Arts Décoratifs, Paris, France : *25.*

Bundesarchiv : *Bild 101III-Alber-178-04A Alber, Kurt : 28; Bild 146-1970-083-42 : 168; Bild 183-S69279 : 169 (bas). CC-BY-SA.*

Corbis : *24, 118;* **Bettmann :** *95, 97, 101 (bas), 126;* **DK Limited :** *2 (bas);* **DPA :** *127;* **Ira Nowinski :** *78.*

Avec l'aimable autorisation de Pauline Denman : *176-178, 179 (haut), 182, 183 (bas), 184, 186, 187.*

Getty Images/Denver Post : *124;* **Gamma-Rapho :** *157, 159;* **Hulton Archive :** *13, 23, 74, 115 (fond), 144;* **Keystone :** *77, 145;* **MPI :** *13;* **New York Daily News :** *115 (haut);* **Picture Post :** *37, 172;* **Popperfoto :** *6, 17, 19, 68 (haut), 71, 72, 120;* **SSPL :** *16, 123;* **Time Life Pictures :** *2 (haut), 12, 27 (bas), 101 (haut), 108, 110, 180;* **Roger-Viollet :** *73 (bas).*

iStockphoto/Senorcampesino : *42.*

De la collection de Melynda Jarratt, www.canadianwarbrides.com : *164, 166, 167, 170, 173, 174.*

Bibliothèque et Archives Canada : *80, 84.*

Library of Congress, Washington, DC : *11, 27 (haut), 87 (haut), 96, 98 (droite), 117 (haut), 121, 136, 138, carte du monde.*

Avec l'aimable autorisation de Christopher Moore : *45, 46, 51, 54 (haut).*

Avec l'aimable autorisation de Deby Nash : *165, 175.*

National Archives and Records Administration (NARA) : *8-11, 14, 15, 18, 30, 47, 49, 50, 52, 54 (bas), 62 (bas), 66, 67, 75, 85, 92 (haut), 94, 98 (gauche), 99, 100, 102, 103, 134, 135 (bas), 179 (bas), 185.*

Avec l'aimable autorisation de Tom Norwalk : *141-143, 146, 147, 150, 151.*

Avec l'aimable autorisation d'Elaine O'Hanrahan : *56-58, 60, 61, 62 (haut), 63-65, 67.*

Avec l'aimable autorisation de Lyndsay Paul, Cindy Gaffney et Tammy Schloemer : *81, 83, 87 (bas), 88, 89, 91.*

Archives provinciales du Nouveau-Brunswick : *164 (bas), 164 (centre), 169 (haut);* **Carleton and York Veterans Association,** *MC1325/MS4/90 : 82.*

Rama : *152 (haut).*

Rex Features/Anthony Wallace/ Associated Newspapers : *79;* **Collect/ Evening News :** *70;* **Everett Collection :** *92 (bas);* **LAPI :** *158;* **Morris Raymond/ Sipa :** *155;* **Roger-Viollet :** *156, 160;* **Sipa Press :** *153, 154, 163.*

Schlesinger Library, Radcliffe Institute, Université Harvard : *116, 117 (bas).*

Shutterstock/AKaiser : *44;* **Zvonimir Atletic :** *93 (bas);* **R Carner :** *129;* **Jacqui Martin :** *20 (bas);* **Neftali :** *152 (bas);* **Sylvana Rega :** *93 (haut).*

Avec l'aimable autorisation d'Elizabeth Skelton : *128, 130, 132.*

Archives fédérales suisses : CH-BAR#E4320B#1990/266#1551*, Bd. *177, Az. C.16-01373 P, von Dincklage Hans, 1896, 1939-1958 : 21 (haut), 31.*

Avec l'aimable autorisation de Tania Szabo, www.violetteszabo.org : *69, 76.*

Topfoto : *68 (bas), 73 (haut), 161;* **Roger-Viollet :** *21 (bas), 22.*

Avec l'aimable autorisation des Bibliothèques de l'Université du Texas et de l'Université du Texas : *131.*

US Air Force : *183 (haut).*

Avec l'aimable autorisation de Julia Williams : *104-107, 109, 111-114.*

Nous avons fait tout ce que nous pouvions pour attribuer les crédits des photographies de ce livre aux bonnes personnes. Nous sommes sincèrement désolés si nous en avons, bien involontairement, oublié.